D1086808

VIDA DE MIGUEL DE CERVANTES

GREGORIO MAYANS Y SISCAR

VIDA DE MIGUEL DE CERVANTES SAAVEDRA

Introducción
TEÓFANES EGIDO

JUNTA DE CASTILLA Y LEÓN
AYUNTAMIENTO DE VALLADOLID
CAJA DUERO
2005

© De su texto: Teófanes Egido

© 2005, de esta edición:
JUNTA DE CASTILLA Y LEÓN
Consejería de Cultura y Turismo
AYUNTAMIENTO DE VALLADOLID
CAJA DUERO

Impreso en España. Printed in Spain
Depósito Legal: VA. 300.–2005
Imprime: Andrés Martín

Esta reproducción facsímil no venal,
realizada con motivo de la *38 Feria del Libro
de Valladolid. Encuentro en Castilla y León,*
se ha llevado a cabo sobre un ejemplar
de la edición original conservado en la
Biblioteca de Santa Cruz, de la Universidad
de Valladolid, institución a la que
expresamos nuestro agradecimiento.

INTRODUCCIÓN

Teófanes Egido

La *Vida de Miguel de Cervantes Saavedra*, aparecida en 1737 por primera vez, regalada por la Feria del Libro de Valladolid. Encuentro en Castilla y León en este año de 2005 (centenario del *Quijote*) en reproducción facsímil de una de sus más singulares impresiones, es un libro lleno de encanto; uno de los más legibles, si no el más legible, del erudito, ilustrado, polígrafo valenciano don Gregorio Mayans y Siscar (1699-1781), que era tan serio como escasamente encantador. Y es un libro cuyo significado no se puede ignorar puesto que supone estar ante el comienzo del cervantismo como oficio o afición, y como preocupación histórica, biográfica y literaria por Cervantes, que tardó tanto en ser valorado y que no contó con una "biografía" (que es ésta) hasta ciento veintidós años después de haber muerto.

Su autor no era un desconocido cuando lo escribió. No es que llegara, ni mucho menos, a la popularidad de Feijoo, pero entre las minorías también Mayans era celebrado o rechazado con entusiasmos o con denuestos. Ambos estaban comprometidos en desengañar a unos y a otros aunque por caminos, con métodos y con destinatarios diversos: Feijoo por el ensayo miraba a las mayorías, incluso al vulgo (menospreciado por los ilustrados de pro); Mayans, por sus investigaciones y ediciones de obras anteriores, se dirigía a las minorías cultas y eruditas, y le exasperaban las que él consideraba como ligerezas de Feijoo (y de tantos otros) impropias de la seriedad requerida para tratar cuestiones históricas, problemas de jurisprudencia, de reforma de la enseñanza, de la predicación, de las formas y de los contenidos religiosos.

Su formación universitaria fue la de un jurista, la de un letrado, perfeccionada en Salamanca, pero asentada en un fondo humanista que debió a los jesuitas (a los que no podía ver en su madurez por rivalidades comprensibles) y al posterior trato con maestros consumados en humanismo como el deán alicantino Manuel

Martí. De hecho fue la jurisprudencia la constante de su magisterio como catedrático de Derecho en la universidad de Valencia (1723-1733), de su investigación y de sus publicaciones. Junto a ello, con sorprendente regularidad, fue haciendo y publicando libros hagiográficos, de preceptiva, de literatura, epístolas suyas y de otros al modo erasmista. También en estos primeros años manifestó su carácter reformista e ilustrado con la crítica de los sermones barrocos. Lo último lo predicaba (porque al seglar Mayans y Siscar le gustaban mucho las "Orationes" sacras) en el libro *El orador cristiano* (1733), loado por algunos, vituperado por otros, entre los que se encontraría el autor de *Fray Gerundio de Campazas* más tarde, reflejo en todo caso de los cánones neoclásicos y pastorales que se irían imponiendo en el género (y mucho más que un género) del sermón a lo largo del siglo XVIII.

Mayans, entonces, y no era corriente tratándose de españoles, era ya apreciado en el extranjero, más aún en ámbitos alemanes, por su presencia en publicaciones del prestigio de las periódicas *Acta eruditorum* de Leipzig, en las que dio a conocer desde 1731 las noticias literarias de España. El hacerlo sin ocultar sus posiciones críticas le ganó la antipatía de los criticados y que penetrase el infundio, tan injusto, de ser enemigo de lo español.

Cansado de la Universidad de Valencia, por motivos que no vienen a cuento, y esperando mejores oportunidades económicas (para él y para su hermano Juan Antonio) y culturales, logró que se le concediese el oficio y el beneficio de bibliotecario real en la corte. No se lograron sus esperanzas de ser nombrado cronista de Indias, ni consiguió la protección del poderoso ministro José Patiño para programas de reforma de la enseñanza y para su medro. Sin embargo, la estancia en Madrid (1733-1739) resultó fecunda en su producción literaria: en este tiempo de bibliotecario real publicó, entre otras obras, esta *Vida de Miguel de Cervantes Saavedra* (1737).

La factura y la impresión se debieron, al margen del interés bien probado de Mayans por los clásicos españoles (como Luis Vives, fray Luis de Granada, santa Teresa, incluso san Juan de la Cruz cuando no todos lo valoraban, fray Luis de León), a la solicitud de algunos ingleses por el *Quijote* y por su autor puesto que no hay que olvidar que fuera Inglaterra la primera en acoger con calor y en publicar la obra cervantina fuera de España. En concreto, y por lo que a esta *Vida* se refiere, Mayans fue requerido por el embajador inglés, Benjamín Keene (uno de los que más influyeron en la política española, lo mismo en la internacional que en el gobierno interior durante sus dos largas embajadas y estancias en Madrid). Era, Keene, un entusiasta de la cultura española, con sus contactos y tertulianos. Don Gregorio era testigo y beneficiado del mecenazgo del embajador, que ya le había financiado alguna publicación y atendido recomendaciones familiares y que, conocedor de la preparación extraordinaria del bibliotecario real, no dudó en recurrir a él para cumplir con encargos cordiales llegados de Inglaterra.

Y así, a través del embajador y de Mayans, llegamos al responsable último y decisivo de este libro, debido a que, al parecer, la reina Carolina, esposa de Jorge II, andaba interesada en crear una biblioteca compuesta por libros de humor y de ficción. lord John Carteret (1690-1763) prometió a la reina enriquecer su biblioteca con el mejor de los libros del género, así opinaba el barón con tanto poder en la política inglesa desde el Parlamento. El mejor de los libros, para aquel inglés de la formación, cultura y gusto exquisitos de lord Carteret, era el *Quijote* de Miguel de Cervantes Saavedra. Y, ni corto ni perezoso, para regalarlo a la reina y para que otros pudieran disfrutarlo, proyectó su impresión fiel, tan elegante, por supuesto que en español y siguiendo las primeras impresiones de la novela. Para todo ello se sirvió de la mediación y de los consejos del embajador Keene, otro de los fascinados por Cervantes. Y fue él quien, ante la petición de Carteret, que quería una biografía del autor como prólogo para su *Quijote,* le comunicó que el más indicado para hacerla era el bibliotecario real don Gregorio Mayans y Siscar. El encargo y la mediación fueron certeros pues no todos los "intelectuales" del momento, como veremos, participaban de la simpatía bien acrisolada de Mayans hacia Cervantes y hacia su *Quijote.*

Mayans y Siscar cumplió con celeridad, y da la sensación de que escribió esta vida de Cervantes como una especie de diversión entre sus empresas de historia crítica, erudita, deshacedora de errores, supersticiones e ignorancias. El hecho fue que en el último semestre de 1736 la elaboró, que en los primeros meses de 1737 y en Madrid imprimió unos veinticinco ejemplares para amigos y compromisos, y, así, impresa, fue remitida a lord Carteret. En ese mismo año aparecía en Londres y por las prensas de J. y R. Tonson la *Vida de Miguel de Cervantes Saavedra. Autor: Don Gregorio Mayáns y Siscár, Bibliotecario del Rey Católico.* Al año siguiente, cumpliendo con la finalidad para la que fue hecha, se publicaba con el tomo primero (de los cuatro de que constaba la edición) de la *Vida y hechos del ingenioso hidalgo Don Quixote de la Mancha,* por la misma imprenta londinense, con grabados maestros, generosos, muy ingleses en algunos detalles. Y de esta suerte, en Inglaterra, por ingleses cultos (hay que decir que de por medio andaba el embajador español en Londres, que ayudó lo suyo), para acompañar e introducir al *Quijote* en su hasta entonces más lujosa salida, apareció la primera y singular biografía de Cervantes ciento veintidós años después de su muerte, dato que indica el desinterés (o el no excesivo interés) que en España se había tenido hacia el *Quijote* y hacia su autor genial hasta 1737 y lo mucho que Cervantes y sus estudiosos de después deben a esta *Vida* escrita por Mayans y Siscar.

Lo que hasta entonces había sido contención se convirtió en eclosión; la *Vida* de Cervantes se ofreció en adelante sin cesar y en su doble apariencia: en impresiones independientes o como introducción biográfica al *Quijote,* forma, esta segunda, que se adoptó en Londres (1742) siguiendo a la de Tonson, en La Haya (1744) y en España por los impresores más activos y sensibles a partir de 1750. Y así, en volumen aparte, después de la primera, tan reducida y casi privada del propio Mayans, de las dos de Londres, la cuarta impresión fue la de Madrid, por Juan de San Martín, en 1750. Casi al mismo tiempo se llevaba a cabo, también en Madrid, la quinta impresión, que es la que tiene el lector en sus manos y ante sus ojos. A partir de entonces la *Vida de Cervantes* por Mayans no cesaría de imprimirse para abrir las mejores impresiones del *Quijote* por los mejores impresores de la Ilustración española (Ibarra, Sancha, Manuel Martín), hasta que este predominio fuera disputado, pero ya muy avanzado el siglo, por las vidas de Cervantes elaboradas con otros criterios por Vicente de los Ríos y Juan Antonio Pellicer.

La impresión que aquí se ofrece tiene sus peculiaridades. El impresor, Pedro Joseph Alonso y Padilla, que se titulaba, como puede verse en la portada, "Librero de Cámara del Rey", se encandiló con la lectura de la *Vida de Cervantes* que acababa de imprimir Juan de San Martín y con su autor, Mayans y Siscar, "poco afortunado porque no es adulador", en contraste con la "vanidad y arrogancia" del autor del tomo tercero de las *Cartas eruditas*, "digno de quemarle" (el tomo, claro está, no Feijoo). Antonio Mestre ha publicado, entre tantas y tan buenas cosas mayansianas, la correspondencia cruzada con este motivo, y por ella puede verse cómo lo que más animó al impresor madrileño, Alonso y Padilla, bastante fanfarrón, y a su tertulia de "hijosdalgo naturales de Madrid", fue el orgullo "porque nos ha dado a luz un paisano que estaba escondido en las tinieblas del olvido y con la adicción de ser un autor tan famoso". Se ve que al impresor le convencían, ya que no había documentos, los argumentos de Mayans: "en cuanto a la justificación de la patria de Cervantes, es una prueba tan cierta y segura, que me alegrara yo poder justificar un derecho en mayorazgo grande o mediano con tanta certeza como vuestra merced prueba el ser Cervantes natural de Madrid". Por agradecimiento a tal hallazgo madrileño, no sólo acaba de publicar la *Vida de Cervantes* en octavo, sino que le promete reimprimirla también en tamaño mayor, en cuarto, promesa cumplida de forma inmediata al año siguiente (1751). Por todo lo anterior, se habrá podido apreciar el aditamento de NATURAL DE MADRID con que en el título de esta impresión se apellida a Cervantes.

Esta *Vida de Cervantes*, para adelantar la evidencia que no tardará en advertir el lector, más que una biografía histórica propiamente dicha es una biografía literaria. Puede observarse la ausencia de alardes de erudición y la presencia casi exclusiva de testimonios literarios extraídos de los escritos de Cervantes en los que se apoya lo mismo el lugar incorrecto de su nacimiento, las primeras incertidumbres acerca de su muerte, los emocionantes retrato y testamento finales, por aludir solamente a referencias fundamentales de una vida que no tardarían en documentarse (en parte por el interés despertado por este libro de Mayans). Mas al decir biografía literaria queremos insinuar que en estas páginas hay más de la vida de los escritos de Cervantes que de la de su autor. Y entre los escritos de todos los géneros, el *Quijote,* que, con buen tino, ocupa la gran parte de este libro, proyectado y elaborado para ilustrar la edición inglesa del *Quijote* y convertido, como hemos dicho, en compañero de tantas otras como llegaron después de la de lord Carteret.

El claro protagonismo del *Quijote* en estas páginas se explica, además de por lo que se acaba de apuntar, porque esta *Vida* de su autor no es inocente ni mucho menos. Sin ir más lejos, ya en la dedicatoria a su mecenas, al deplorar la desnudez de noticias en torno a Cervantes, "persona dignísima de mejor siglo", en pocas palabras manifiesta la idea que tenía de aquel tiempo en que los envidiosos del genio lo murmuraron, lo calumniaron con frialdad, los escolásticos lo desdeñaron por no haber sido de los suyos, el poder prefirió a los aduladores y no quiso al mayor ingenio de entonces: "porque, aunque dicen que la edad en que vivió era de oro, yo sé que para él y algunos otros beneméritos fue de hierro".

Mayans, al que no le hará gracia alguna que en estas impresiones de su libro se haya injerido con una censura laudatoria a más no poder (ofensiva por tanto para los émulos del valenciano) el extraño y vanidoso fray Juan de la Concepción, está reflejando su propia situación durante los años madrileños, el ningún aprecio del gobierno hacia sus planes y sus propuestas, las dificultades que le llegan de los detentadores oficiales de la cultura, de los "diaristas", de los académicos, de los bibliotecarios mayores, insensibles a sus gustos, a sus exigencias, y demasiado afectados por sus críticas, lo mismo exactamente que le ocurría a Cervantes, quien, "mientras vivió, debió mucho a los extranjeros y muy poco a los españoles. Aquéllos le alabaron y honraron sin tasa ni medida; éstos le despreciaron y aun le ajaron con sátiras privadas y públicas" (párrafo 56).

La contienda literaria que se está librando va más allá de lo personal en la confrontación con los saberes oficiales y protegidos (es sobradamente conocida la actitud de Mayans hacia Feijoo, más tarde hacia Flórez o Isla, siempre por exigencias de rigor). En la *Vida de Cervantes* la invectiva se ceba en Blas Antonio Nasarre, el bibliotecario mayor del rey, y en el académico Agustín de Montiano y Luyando. Mayans los tacha de extranjerizantes por recurrir a modelos y criterios franceses cuando se dispone de los inigualables clásicos españoles. El caso más patético en la actividad literaria fue el haber patrocinado y aprobado ambos, Nasarre y Montiano, la edición en 1732 del *Quijote* de Avellaneda influidos por franceses que, hacía ya tiempo, en 1704, habían editado y valorado tanto al autor del falso Quijote cuanto atacaban y menospreciaban a Cervantes. Lo peor de todo: que hacen todo esto, además, invocando el buen gusto.

La respuesta de Mayans, enamorado de los clásicos a los que él está entregado como hemos dicho, es esta su *Vida de Cervantes,* al que retrata tan inmensamente superior en todo al llamado Fernández de Avellaneda. No ahorra dicterios contra el suplantador: su doctrina es pedantesca, su "estilo lleno de impropiedades, solecismos y barbarismos, duro y desapacible y, en suma, digno del desprecio que ha tenido, pues se ha consumido en usos viles y únicamente el haber llegado a ser raro pudo darle estimación, pues, habiéndose reimpreso en Madrid después de ciento y diez y ocho años, esto es, en 1732, no hay hombre de buen gusto que haga aprecio de él" (n. 65).

La clave fundamental de la *Vida*, por tanto, debe descubrirse en el denuedo por exaltar a Cervantes, sus escritos, el *Quijote* sobre todo, tarea nada fácil entonces, cuando, como hemos visto, los mentores culturales iban por otros derroteros. Mayans, que tiene criterios neoclásicos, que advierte los anacronismos presentes en la novela, no tiene inconveniente en publicar que incluso esas atemporalidades son uno de los valores más notables de la ficción cervantina: "Don Quijote es hombre de todos tiempos y verdadera idea de los que ha habido y habrá, y así se acomoda bien a todos tiempos y lugares" (n. 127). Exalta a Cervantes como maestro de todos los géneros con sus novelas, sus comedias, con el modelo inconmensurable del Quijote, del que dice en uno de los pasajes más briosos de este libro: "La fábula de *Don Quijote de la Mancha* imita la *Iliada*. Quiero decir que si la ira es una especie de furor, yo no diferencio a Aquiles airado de Don Quijote loco. Si la *Iliada* es una fábula heroica escrita en verso, la novela de *Don Quijote* lo es en prosa; que la épica (como dijo el mismo Cervantes) tan bien puede escribirse en prosa como en verso" (n. 158).

Hastiado de incomprensiones y, todo hay que decirlo, de esperar oficios con sus beneficios convenientes y dignos en la corte, Mayans se despidió de la real bibliteca, dejó Madrid, y se retiró a su Oliva para entregarse a sus trabajos intelectuales variados. Allí permaneció hasta su muerte en 1781. En contraste, su *Vida de Cervantes,* pionera, se convirtió en referencia necesaria para todos los estudiosos y eruditos cervantinos posteriores, en acicate para completar los escasos datos biográficos anteriores con las novedades que se fueron descubriendo azarosamente a partir de 1737. El libro de Mayans, sin embargo, siguió apareciendo, reapareciendo, en impresiones incesantes sin que incorporara los nuevos hallazgos.

Hubo una excepción. La fecha exacta de la muerte de Cervantes se ignoraba cuando por primera vez se imprimió su *Vida.* Sólo se sabía el año. Después se descubrió en el libro de difuntos de la parroquia madrileña de San Sebastián que la muerte había acontecido el 23 de abril de 1616. Cuando Mayans fue informado por 1750 del propósito que tenía Juan de San Martín de imprimir de nuevo el libro, le rogará que cambie el texto impreciso de 1737 por el actualizado de 1750, que es el que se puede leer en el número 178 de este libro. Porque el otro cambio, visible en el número 29, más bien es una corrección de errata, de Alfonso IX en lugar de Alfonso XI de 1737.

Y no hubo más. No porque faltaran ocasiones con tantas veces como se imprimió después de 1750 de forma exenta o con el *Quijote,* ni porque no se dieran, que se dieron, descubrimientos de nuevos y decisivos datos para la reconstrucción de la biografía de Cervantes. No podemos soslayar uno de los momentos más interesantes para la historia editorial del *Quijote* y de la *Vida* de su autor: el propiciado por el magnífico proyecto que tuvo Ensenada de emular y superar la impresión lujosa del Quijote en Inglaterra. Para ello se propuso a Mayans la reelaboración de la *Vida,* sintetizada y enriquecida con las novedades que se habían producido hasta 1552. Pero los retrasos de Mayans en aprestar los materiales, su entrega a trabajos regalistas más productivos, la pronta caída del ministro, malograron la idea. Y en tantas impresiones de entonces y de después no se incorporaron las noticias del matrimonio de Cervantes en Esquivias ni las certidumbres de haber nacido en Alcalá de Henares, donde se halló su fe de bautismo gracias a gestiones hechas por el generoso corresponsal que Mayans tenía en Madrid, el bibliotecario Manuel Martínez Pingarrón, aunque otros le disputaran este honor y tanta solicitud. Y como este vacío era tan llamativo, en las impresiones posteriores a 1752 aparecería siempre, miméticamente, como colofón añadido, la nota: "Sin embargo que en esta *Vida* se sienta que Cervantes es natural de Madrid, popsteriormente se ha averiguado con certeza ser natural de la ciudad de Alcalá de Henares".

Poca gracia le debió de hacer al impresor, tan madrileño, del libro que sigue, la noticia de que la patria de Cervantes no había sido precisamente su Madrid. A no ser que se consolara con la reflexión de Mayans, cosmopolita, que más tarde, en 1761, escribía a un magistrado amigo la historia de lo que dio tanto que hablar y que a él le facilitaba otra ocasión para arremeter contra sus émulos: "Vuestra Señoría y yo estemos concordes en que tuvo dos patrias, una natural, que fue Alcalá de Henares, y otra civil o común, que fue Madrid. La primera consta de la fe de bautismo, la segunda del mismo autor. Y así siempre queda cierto lo que dije, y debo añadir lo que no sabía ni yo ni los que me reprenden, a quienes aún quedan por saber más de doscientas cosas de Cervantes que ignorarán hasta que yo se las enseñe".

Recordemos, por fin, que este libro de don Gregorio Mayans y Siscar fue, con mucho, el más editado de cuantos escribió y que se sigue editando sin cesar. Esta reproducción facsimilar de la quinta impresión, la más original de las que se hicieron en 1750, puede compararse con la primera de 1737 (la hecha para Inglaterra), y con los autógrafos de Mayans que se conservan, recurriendo a la edición de Antonio Mestre (a cuyas monografías mayansianas tanto deben estas líneas) en la significativa colección de "Clásicos Castellanos" en 1972. Buena idea ha tenido el responsable de esta publicación, Agustín García Simón, al regalarnos una joya como ésta en el año centenario del *Quijote,* a cuya lectura se quiso ayudar y animar con la siguiente biografía literaria de su autor.

FACSÍMIL

VIDA

DE MIGUEL DE CERVANTES
SAAVEDRA,
NATURAL DE MADRID.

AUTOR

DON GREGORIO MAYÁNS
i Siscàr, Bibliotecario del Rei nuestro
Señor, i Academico de la Academia
de la Historia de la Ciudad
de Valencia.

Es de la Libreria del Coll.º de
S. Jonacio de Vallad.ᵈ

Quinta   Impression

segun la   primera;

Año de   MDCCL.

CON LICENCIA.

En MADRID : A costa de Don Pedro Joseph
Alonso i Padilla, Librero de Camara del Rei, vive
en la Calle de Santo Thomàs, junto al Contraste.

VIDA

DE MIGUEL DE CERVANTES
SAAVEDRA,

NATURAL DE MADRID.

POR

AL EXC.mo SEÑOR

DON JUAN,

VARON DE CARTERET,

&c. &c. &c.

EXC.mo SEÑOR.

N tan insigne Escritor como Miguèl de Cervantes Saavedra, *que supo honrar la memoria de tantos Españoles, i hacer immortales en la de los Hombrès a los que nunca vivieron; no tenìa hasta hoi, escrita en su lengua, Vida propia. Deseoso V. Exc. de que la huviesse, me mandò recoger las Noticias pertenecientes a los Hechos, i Escritos*

¶ 2   *de*

de tan gran Varon. He procurado poner
la diligencia a que me obligò tan honro-
so precepto ; i he hallado que la materia
que ofrecen las Acciones de Cervantes
es tan poca ; i la de sus Escritos tan dilatada, que ha sido menester valerme de
las hojas de èstos, para encubrir de alguna manera con tan rico, i vistoso ro-
page, la pobreza, i desnudèz de aquella
Persona dignissima de mejor Siglo : porque aunque dicen que la Edad en que
viviò era de Oro ; Yo sè, que para èl, i
algunos otros benemeritos, fuè de Hierro. Los Embidiosos de su Ingenio, i
Eloquencia le mormuraron, i satiriza-
ron. Los Hombres de Escuela, incapa-
ces de igualarle en la Invencion, i Arte,
le desdeñaron, como a Escritor no Cien-
tifico. Muchos Señores, que si hoi se
nombran, es por èl; desperdiciaron su
po-

poder, i autoridad en aduladores, i bufones, sin querer favorecer al mayor Ingenio de su tiempo. Los Escritores de aquella edad (aviendo sido tantos) o no hablaron de èl, ò le alabaron tan friamente, que su silencio, i sus mismas alabanzas, son indicios ciertos, o de su mucha embidia, o de su poco conocimiento. V. Exc. le tiene tan justo de sus Obras, que ha manifestado ser el mas liberal mantenedor, i propagador de su memoria; i es por quien Cervantes, i su Ingenioso Hidalgo logran hoi el mayor aprecio, i estimacion. Salga pues nuevamente a la luz del Mundo el Gran Don Quijote de la Mancha, si hasta hoi Cavallero desgraciadamente Aventurero; en adelante por V. Exc. felizmente Venturoso. Viva la memoria del incomparable Escritor Miguèl de

§§   Cer-

Cervantes Saavedra. I reciba *V*. Exc.
éstos Apuntamientos como cierta, i perpetua señal de la gustosa, i pronta obe-
diencia que professo a *V*. Exc. I quando
Yo en ello no aya conseguido el acierto,
que merecen los preceptos de *V*. Exc.
(que no vivo tan satisfecho de mì, ni soi
tan ambicioso, que presuma, i espère
tanto) a lo menos quedarè contento con
la gloria de mi obsequio.

Don Gregorio Mayàns i Siscàr.

CE.

CENSURA DEL Rmo. P. Fr. JUAN
de la Concepcion, Calificador de la Suprema, Ex-Lector de Escritura, de la Real
Academia de la Lengua Castellana, Consultor del Serenissimo Señor Infante Cardenal, i Escritor de su Religion de Carmelitas Descalzos, &c.

M. P. S.

Obedeciendo la orden de V. A. he visto
la VIDA DE MIGUEL DE CERVANTES
SAAVEDRA, que desea imprimir su Autor
Don *Gregorio Mayans i Siscar*, &c. I me
persuado a que en remitir V. A. este Libro
a Censura, no ha intentado mas, que no
exemplificar excepciones, i seguir la practica legal, quando la Erudicion, Madurez,
Aplicacion, Obras, i Credito del Autor, in-
demnizan de toda sospecha de error qualquiera efecto suyo; aunque sea de mas ele-
vada cathegorìa.

La Verdad, alma de la Historia, està ob-
servada en èsta, con la exactitud mas escru-
pulosa; pues casi todos los Documentos que
la autorizan estan tomados de las mismas
Obras de Cervantes; i èl fuè tan discreto,
que no puede creerse, sin temeridad, que no
se conociò.

¶¶2   No

No son por cierto las Memorias de un Ingenio tan Grande (que en la aceptacion de los Estrangeros es, sin duda, el mayor que la España produjo) de mantenerse, como hasta ahora, sepultadas en el olvido ; ni para vindicarlas de este desaire pudo hallar la Critica eleccion del profundo Estadista *Milord Carteret*, pluma mas habil que la de Don Gregorio.

Uno de sus principales esmeros ha sido siempre enriquecer al Publico con las Obras, i Calidades de los Heroes Antiguos del Orbe Literario, que produjo, i venerò España. Quien dirà que no es esto restablecer el credito de la Nacion ? Con todo ai quien diga, que Don Gregorio le vulnera. Rara extravagancia, i que presumo la ha de exponer como a espuria su Madre, aun siendo la embidia ! No serà mas conforme al honor Nacional que este Autor escriviesse (si lo escriviò) que aquel avìa escrito DIALOGOS, ignorando sus Leyes ; que este escriviò HISTORIA, sin saber las que la dirigen ; i que el otro avìa conseguido aplauso vulgar, solo por lo poco versado de las materias que disputa ; i por no aver avido quien intentasse confutarle (no lo digera hoi) con solidèz, nervio, i verdadera Critica,

tica, no es, digo, esto mas util para la Nacion, que dejar descansar a los Estrangeros en la errada creencia de que en España qualquierra Obra sale segura, porque no ai quien conozca, ni haga ver sus defectos, por mas que sean enormemente garrafales? Si esto es detraher de la Nacion, Dios me depare Detractores de este caracter para quanto Yo hiciere.

Es pues, Señor, la VIDA DE MIGEL DE CERVANTES mui digna de salir a luz, i de Astro nada ratero la que le comunica quien la ha escrito, no siendo ni aun parte de merito no aver, como no ai, en esta Obra clausula alguna, que no sea conforme a nuestra Santa Fè, rectas Costumbres, i Regalias de su Magestad. Este es mi sentir, *salvo, &c.* En este Convento de Carmelitas Descalzos de San Hermenegildo de Madrid a 9. de Septiembre de 1750.

Fr. Juan de la Concepcion.

SUMA DE LA LICENCIA.

Tiene Licencia de los Señores del Real, i Supremo Consejo *Don Pedro Joseph Alonso i Padilla, Librero de Camara del Rei nuestro Señor*, para poder imprimir, i vender el Libro intitulado: *Vida de Miguel de Cervantes Saavedra*, escrita por Don Gregorio Mayàns i Siscàr, Bibliotecario de su Magestad, &c. como mas largamente consta de su original. Madrid, i Octubre à 24. año de 1750.

CER=

CERTIFICACION DEL CORRETOR.

EN el fol. 30. linea 1. donde dice Don Alonſo XI. de Leon, *diga* Don Alonſo IX. de Leon.

En el fol. 222. linea 9. donde dice Reitantes, *diga* Recitantes.

He viſto eſte Libro de la *Vida de Miguèl de Cervantes Saavedra*, ſu Autor Don Gregorio Mayàns i Siſcàr, i advertidas eſtas erratas, correſponden con ſu original. Madrid 20. de Noviembre de 1750.

Lic. Don Manuel Licardo de Ribera,

Corrector General por ſu Mageſtad.

SUMA DE LA TASSA.

TAſſaron los Señores del Real, i Supremo Conſejo de Caſtilla eſte Libro de la *Vida de Miguèl de Cervantes Saavedra*, que con licencia de dichos Señores ha ſido impreſſo, a ſeis mrs. cada pliego, como mas largamente conſta de ſu original.

IN

INDICE
DE LA VIDA
DE MIGUEL DE CERVANTES.

CA.

CATALOGO

DE LAS OBRAS

QUE HA ESCRITO , E IMPRESSO
Don Gregorio Mayáns i Siscàr , Bibliotecario del Rei nuestro Señor , i Academico de
la Academia de la Historia de la Ciudad
de Valencia.

1 AD quinque Jurisconsultorum fragmenta commentatii : & ad Legem
si fuerit 5. de Legatis 3. Recitatio extemporalis. *Valentiæ apud Antonium Bordazar , anno 1723. in 8.*

2 Vida de San Gil Abad. *En Valensia por Antonio Bordazar , año 1724. en 16.*

3 Oracion en alabanza de las Obras de Don
Diego Saavedra Fajardo. *En Valencia por Antonio Bordazar , año 1725. en 4.*

4 Justi vindicii Relatio de Disputatione
quam habuit Gregorius Majansius, Generosus , & Antecessor Valentinus pro intellectu Paragraphi Est autem 3. institutionum de Rerum Divissione. *Cosmopoli apud Liberalem Evangelum , anno 1725.
in 8.*

5 Dis-

5 Disputationum Juris, Liber Primus. *Valentiæ apud Antonium Bordazar*, anno 1726. in 8.

6 Vida de San Ilefonso. *En Valencia por Antonio Bordazar*, Año 1726. en 16. reimpressa en Madrid *por Antonio Marin*, año 1727. en 8.

7 Oracion que exorta a seguir la verdadera idèa de la Eloquencia Española. *En Valencia por Antonio Bordazar*, año 1727. en 4.

8 Accion de Gracias por el Nacimiento de Nuestro Señor Jesu Christo. *En Valencia por Antonio Bordazar*, año 1728. en 8.

9 La Concepcion Purissima de la Virgen Maria, Madre de Dios. *En Valencia por Antonio Bordazar*, año 1729. en 8.

10 Traduccion del Libro intitulado: El Mundo engañado por los falsos Medicos, su Autor el Dotor Josef Gazola. *En Valencia por Antonio Bordazar*, Año 1729. en 8. reimpressa, i añadida con un Dialogo del Magnifico Cavallero Pero Megia. *En Valencia por Antonio Balle*, Año 1733. en 8.

11 Republica Literaria de Don Diego Saavedra Fajardo, corregida, i enmendada por Don Gregorio Mayàns, i Siscar. *En Va-*

Valencia por Antonio Balle, Año 1730.
en 8. reimpressa en Madrid *por Juan de
Zuñiga, año de* 1735. *en* 8.

12 Epistolarum Libri IX. *Valentiæ Typis
Antonii Bordazar, anno* 1732. *in* 4.

13 El Orador Christiano, ideado en tres
Dialogos. *En Valencia por Antonio Bordazar, año* 1733. *en* 8.

14 Cartas de Don Nicolàs Antonio, de Don
Antonio de Solìs, i de Don Christoval
Crespi de Valdaura, publicadas por Don
Gregorio Mayàns i Siscàr, con las Vidas
de los dos primeros Autores, i la Oracion
que exorta a seguir la verdadera idea de
la Eloquencia Española. *En Leon de Francia por Deville hermanos, i Luis Chalmette,
año* 1733. *en* 8.

15 Espejo Moral con Reflexiones Christia-
nas. *En Madrid por Antonio Sanz, año*
1734. *en* 12.

16 Disputatio de incertis Legatis. *Matriti
apud Joannem Stunicam, anno* 1734.
in 8.

17 Cartas Morales, Militares, Civiles, i
Literarias de varios Autores Españoles.
En Madrid por Juan de Zuñiga, año 1734.
en 8.

18 Dialogos de las Armas, i Linages de la
No-

CATALOGO

Nobleza de España , escritos por Don Antonio Agustin , Arzobispo de Tarragona , con la Vida del Autor , escrita por Don Gregorio Mayàns i Siscàr. *En Madrid por Juan de Zuñiga , año* 1734. *en* 4.

19 Reglas de Ortografia en la Lengua Castellana, compuestas por el Maestro Antonio de Lebrija , añadidas algunas Reflexiones de Don Gregorio Mayàns i Siscàr. *En Madrid por Juan de Zuñiga, año* 1735. *en* 8.

20 Don Joannis Pugæ & Feijoo Jurisconsulti & Primarii antecessoris Salmanticensis Tractatus Academici , sive , Opera omnia posthuma cum ejusdem Auctoris vita , scripta à Don Gregorio Mayàns. *Lugduni apud Fratres Deville in fol.* 2. *volum. anno* 1735.

21 Emmanuelis Martini, Ecclesiæ Alonensis Decani Epistolarum libri duodecim, cum ejusdem Auctoris vita, scripta a Gregorio Majansio Generoso Valentino , & Hispaniarum Regis a Bibliotheca. *Mantuæ Carpentanorum apud Joannem Stunicam, Anno* 1735. *tria volum. in* 8. & Amstelodami *apud J. Westenium & G. Smith, anno* 1738. *in* 4.

Ora

22 Oracion a Christo Redentor Nuestro en su inefable Passion. *En Regiobriga, Año 1736. en 16.*

23 Carta de Don Gregorio Mayàns i Siscar al Excelentissimo Señor Don Francisco de Almeida, Canonigo de la Iglesia Patriarcal de Lisboa, dandole noticia de la muerte de Don Manuel Martì, Dean de Alicante. *En Madrid a tres de Mayo de 1737. en fol. impressa en Lisboa el mismo Año.*

24 Vida de Miguèl Cervantes Saavedra. *En Brig.-Real, Año 1737. en 8.* reimpressa en Londres por *J. i R. Tonson, año 1737. en 4. i en Amsterdan, año de.....en 8.*

25 Origenes de la Lengua Española compuestos por varios Autores recogidos por Don Gregorio Mayàns i Siscàr. *En Madrid por Juan de Zuñiga, año 1738. en 8. 2. volum.*

26 Conversacion sobre el Diario de los Literatos de España. La publicò Don Placido Veranio. *En Madrid por Juan de Zuñiga, año 1737. en 8.*

27 Ensayos Oratorios. Và añadida la Oracion de Dion Chrisostomo del Retiramiento, traducida de Griego en Español por Pedro de Valencia. *En Madrid por*

por Juan de Zuñiga, año 1739. *en* 8.

28 Leccion Christiana de Benito Arias Montano, traducida de Latin en Español por Pedro de Valencia. *En Madrid por Juan de Zuñiga, año* 1739. publicada por Don Gregorio Mayàns i Siscàr *en* 8.

29 Memorial Genealogico de Antonio Pascual i Garcia Generoso. *En Valencia, año* 1742. *en fol.*

30 Gradus ad Parnassum, sive Bibliotheca Musarum. *Lugduni apud Fratres Deville, anno* 1742. *in* 8. 2.*volum.* I allì mismo una Prosodia con nombre Anagrammatico de Don Geronimo Grayas, *impressa tambien separadamente.*

31 Censura de Historias fabulosas de Don Nicolàs Antonio con la Vida del Autor. *En Valencia por Antonio Bordazar, año* 1742. *en fol.*

32 Propuesta para formar la Academia Valenciana. *En Valencia por Antonio Bordazar, año* 1742. *en* 4.

33 Constituciones de la Academia Valenciana. *En Valencia por Antonio Bordazar, año* 1742. *en* 4.

34 Obras Chronologicas del Marquès de Mondejar. *En Valencia por Antonio Bordazar, año* 1744. *en fol.*

Ac-

35 Accion de Gracias a la Divina Sabidu-
ria. *En Valencia por Antonio Bordazar,*
año 1743. en 4.

36 Carta al Dotor D. Josef Berni sobre las
Fuentes del Derecho Español. *En Valen-*
cia, i en Madrid, año 1745. en 4.

37 Carta al Dotor Don Josef Finestres en
alabanza de sus Comentarios al Jurifcon-
fulto Hermogeniano. *En Cervera, año*
1745. en 4.

38 Carta al Excelentissimo Señor Don Diego Fernandez de Almeida Portugal, sobre
la muerte de su hermano el Excelentissimo Señor Don Francisco de Almeida
Mascareñas, escrita en 1. de Abril de
1746. *Impressa el mismo año en Valencia*
en fol.

39. Advertencias del Marques de Mondejar
a la Historia del Padre Juan de Mariana.
En Valencia por la viuda de Antonio Bor-
dazar, año 1746. en fol.

40. Elogio de los Escritores Valencianos
mas insignes. *En Valencia por Josef Este-*
van Dolz, año 1747. en fol.

41. Avisos de Parnaso del Dotor Juan Bautista Corachan. *En Valencia por la viuda*
de Antonio Bordazar, año 1747. en 8.

FIN

FIN DE LAS OBRAS que tiene escritas, y impressas el Autor hasta 12. de Agosto del año de 1747. En otra Impression se publicaràn las que tenga impressas, o manoscritas, hasta fin del año de 1750.

Con Licencia, en Madrid.

VI-

VIDA
DE MIGUÈL DE CERVANTES
SAAVEDRA,
NATURAL DE MADRID.

SU AUTOR

D. GREGORIO MAYÁNS Y SISCÁR.

IGUÈL de Cervantes Saave-
dra, que viviendo fuè un va-
liente Soldado, aunque mui
desvalìdo; i Escritor mui cèlebre, pero sin favor alguno;
despues de muerto es prohijado à porfìa de
muchas Patrias. Esquivias dice ser suyo. Sevilla le niega esta glòria, i la quiere para sì.
Lucena tiene la misma pretension. Cada una
alega su derecho, i ninguna le tiene.

i Defiende la parte de Esquivias D. Thomàs Tamayo de Vargas, Varon erudirìssi-
mo: quizà porque Cervantes llamò *famoso* à
este Lugar; pero el mismo Cervantes se explicò, diciendo. *Por mil causas famoso: una por
sus ilustres Linages, i otra por sus ilustrìssimos
vinos.*   A   El

2　El grande emulo de Tamayo, Don Nicolàs Antonio, patrocina la causa de Sevilla; i para probarla, alega dos razones, ò congeturas. Dice que Cervantes siendo niño viò representar en Sevilla à Lope de Rueda; i añade, que los apellidos de *Cervantes*, i *Saavedra* son Sevillanos. La primera congetura prueba poco. Yo siendo niño, vi representar en el Theatro de Valencia un gran Comedion, (que es el unico que he visto) i no soi de Valencia, sino de Oliva. Fuera de esto, diciendo Cervantes, que (a) *Lope de Rueda, Varon insigne en la representacion, i en el entendimiento fuè natural de Sevilla*, era natural tambien llamarla su Patria: i ni en esse, ni en otros Lugares donde nombrò à Sevilla, la reconociò como tal. La segunda congetura aun prueba menos; porque, si Miguèl de Cervantes Saavedra huviera sido de los Cervantes, i Saavedras de Sevilla; siendo nobles estas Familias, lo huviera èl apuntado en alguna parte, hablando en tantas de sì; i lo mas que dijo fue, ser Hidalgo, sin añadir circunstancia que indicasse su solar: i à ser natural de Sevilla; en las mismas Familias Sevillanas de Cervantes, i Saavedras, se huviera conservado desde aquel tiem-

(a) *En el Prologo de sus ocho Comedias.*

tiempo la gloriofa memoria de aver dado à
España tan iluftre Varon. Prueba que huviera alegado Don Nicolàs Antonio fiendo de
efta opinion , i natural de Sevilla.

3 En Lucena dicen , que ai tradicion de
aver nacido alli. Quando fe pruebe la tradicion , ò fe exhiba la Fè de fu Bautifmo , de-
berèmos creerlo.

4 Entretanto tengo por cierto , que la
la Patria de Cervantes fuè Madrid , pues èl
mifmo en el *Viage del Parnafo* , (b) defpi-
diendofe de efta grande Villa , le dice affi.

A Dios , *dige à la humilde Choza mia,*
A Dios, Madrid, a Dios, tu Prado, i Fuentes,
Que manan nectar , llueven ambrosia.

A Dios , *converfaciones fuficientes*
A entretener un pecho cuidadofo,
I à dos mil defvalidos pretendientes.

A Dios , *Sitio agradable , i mentirofo,*
Do fueron dos Gigantes abrafados
Con el rayo de Jupiter fogofo.

A Dios , *Theatros publicos , honrados*
Por la ignorancia que enfalzada veo
En cien mil difparates recitados.

A Dios , *de San Felipe el gran Paffeo,*
Donde fi baja , ò fube el Turco galgo,
Como en Gazeta de Venecia leo.

A 2   A

(b) *Cap.* 1.

A Dios , Hombre sotìl de algun Hidalgo;
Que por no verme ante tus puertas muerto;
Hoi de mi PATRIA , i de mì mismo salgo.

5   Hecha èsta observacion , he recurrido
à los *Apuntamientos* que hizo Don Nicolàs
Antonio para formar su *Bibliotheca* , i en sa
margen de ellos he hallado añadida èsta misma prueba de la Patria de Cervantes ; pero
deseoso Don Nicolàs de mantener su antigua
opinion; concluye assi: *Si bien MI PATRIA*
se puede entender por España toda. Qualquiera que lea atenta , i desapassionadamente los
Tercetos de Cervantes ; juzgarà que èsta In-
terpretacion de Don Nicolàs Antonio es
violenta , i aun contraria à la mente de Cervantes : porque los cinco primeros Tercetos son una Definicion descriptiva de
Madrid; los dos primeros Versos del sexto
Terceto , una Apòstrofe , ò razonamiento
dirigido à su Hambre ; i el ultimo Verso,
un retorno à la Villa de Madrid , donde yà
avia dicho que tenia la *humilde Choza suya,*
de la qual salìa para ir al Parnaso : Viage, cuya descripcion le sacava de tino.

Hoi de mi Patria , i de mì mismo salgo.
Fuera desto en el Terceto immediato, dice assi:
Con esto poco à poco lleguè al Puerto,
A quien los de Cartago dieron nombre,

Cer-

Cerrado à todos vientos, i encubierto.
A cuyo claro, i singular renombre
Se postran quantos Puertos el mar baña,
Descubre el Sol, i navegado el hombre.

6   Si Cervantes entendiera por *Patria suya* à toda España (cosa mui impropia, i que no cabìa en su pluma) al salir de ella serìa quando la llamarìa *Patria*; pero no, hablando con Madrid, i al salir de èsta Villa para Cartagena; i mas caminando *poco à poco* para llegar à aquèl famoso Puerto, donde se avia de embàrcar para hacer con Mercurio el Viage del Parnaso.

7   Quède pues por assentado, que Madrid fuè la Patria de Miguèl de Cervantes Saavedra, i tambien el Lugar de su habitacion. El mismo Apolo diò las señas de èsta en el sobrescrito de una graciosa Carta, que dice assi: (c) *A Miguèl de Cervantes Saavedra en la Calle de las Huertas, frontero de las Casas donde solìa vivir el Principe de Marruecos, en Madrid. Al porte medio real, digo diez i siete maravedis.* Y parece que su habitacion no era mui acomodada, pues en el fin de la Descripcion de su Viage, dijo:

Fuime con esto, i llèno de despecho
Busquè mi antigua, i lobrega Posada.

(c) *Viage del Parnaso, cap.* 8. *en la* Adjunta.

8   Naciò Miguèl de Cervantes Saavedra,
Año 1549. segun se colige de esto que escriviò (d) dia 14 de Julio del Año 1613. *Mi
edad no está ya para burlarse con la otra vida;
que al cinquenta i cinco de los años, gano por
nueve mas, i por la mano. Por la mano* entiendo Yo la anticipacion de algunos dias:
de manera, que en mi sentir naciò en el mes
de Julio; i quando escrivìa esso, tenia 64.
años, i algunos dias.

9   Desde sus primeros años tuvo grande
aficion à los Libros: de suerte, que hablando de sì, dijo: (e) *Yo soy aficionado à leer
aunque sean los papeles rotos de las Calles.*
Amò muchissimo las buenas Letras, i totalmente se aplicò à los Libros de entretenimiento, como son las Novelas, i todo genero de Poesia, especialmente de Autores Españoles, è Italianos. En estos generos de Letras fuè su erudicion consumadissima, como
lo manifiesta el donoso, i grande Escrutinio
de la Librerìa de Don Quijote; (f) las frequentes alusiones à las Historias fabulosas;
los exactissimos juicios de tantos Poetas,(g)
i su *Viage del Parnaso.*

De

(d) *En el Prologo de las Novelas.* (e) *Tom.I.
cap.* 9. (f) *Tom. I. cap.* 6. (g) *En el mismo Capitulo* 6.

10 De España passò à Italia , ò bien para servir en Roma al Cardenal Aquaviva , de
quien fuè Camarero; (h) ò bien para militar,
como militò algunos años siguiendo las vencedoras Vanderas de aquel Sol de la Mili-
cia , Marco Antonio Colona. (i)

11 Fuè uno de los que se hallaron en la
cèlebre batalla de Lepanto , donde perdiò la
mano izquierda de un arcabuzazo : (k) ò à
lo menos herida de èl , le quedò inhabil. (l)
Peleò como debia un tan buen Christiano , i
Soldado tan valiente. De lo qual èl mismo
se gloria no sin razon , diciendo muchos
años despues: (m)

Arrojòse mi vista à la Campaña
  Rasa del mar , que trujo à mi memoria
  Del heroico Don Juan la heroica hazaña.
Donde con alta de Soldados gloria,
  I con propio valòr , i airado pecho,
  Tuve(aunque(n)humilde)parte en la vitoria.

12 Despues no sè como , ni quando , le
apresaron los Moros , i le llevaron a Argèl.
De aqui coligen algunos , que la *Novela del*
                    A 4   *Cau-*

(h) *Vease la Dedicatoria de la* Galatea.
(i) *Vease la misma Dedicatoria.* (k) *Prologo
de las Novelas.* (l) *En el Viage del Parnas.
cap.* 1. (m) *Viage del Parnas. c.* 1. (n) *Alude
à que solo era Soldado , sin Grado alguno.*

Cautivo, (o) es una Relacion de las cosas de
Cervantes. I por esso añaden , que sirviò en
Flandes al Duque de Alva, que alcanzò à ser
Alferez de un famoso Capitan de Guadalajara, llamado Diego de Urbina, i despues hecho yà Capitan de Infanteria se hallò en la
batalla Naval , yendo con su Compañia en
la Capitana de Juan Andrea, de la qual saltò
en la Galera de Uchali , Rei de Argèl; i desviandose èsta de la que avìa envestido, estor-
vò que con sus Soldados le siguiessen , i assi
se hallò solo entre sus enemigos herido , sin
poder resistir; i en fin, de tantos Christianos
vitoriosos , solo èl gloriosamente cautivo.
Todo esto, i mucho mas refiere de sì el Cautivo, que es el principal sugeto de la dicha
Novela; el qual despues de la muerte de
Uchali Fartax, que quiere decir , *el Renega-
do Tiñoso* (porque avìa sido uno, i otro) re-
cayò en el Dominio de Azanaga , Rei cruel-
lissimo de Argèl , el qual le tenia encerrado
en una Prision , ò Casa, que los Turcos llaman *Baño*, donde encierran los Cautivos
Christianos , assi los que son del Rei , como
de algunos particulares : i los que llaman de
Almacèn , que es como decir , Cautivos del
Concejo, que sirven à la Ciudad en las Obras
                                                           pu-

(o) *Tom. I. de Don Quijote, c.* 39.

publicas que hace, i en otros oficios ; i eſtos
tales Cautivos tienen mui dificultoſa ſu libertad ; que, como ſon del Comun, i no tienen Amo particular ; no ai con quien tratar
ſu reſcate. Uno de los Cautivos, que por
aquellos tiempos avìa en Argel, juzgo Yo
que fuè Miguèl de Cervantes Saavedra : i
tengo para eſto una prueva manifieſta en lo
que de èl dijo el Cautivo hablando de las
crueldades de Azanaga : *Cada dia abarcava*
el ſuyo, empalava à èſte, deſorejava a aquel:
i eſto por tan poca ocaſion, i tan ſinella, que
los Turcos conocian que lo bacia no mas de por
bacerle, i por ſer natural condicion ſuya ſer
bomicida de todo el genero humano. Solo librò
bien con èl un Soldado Eſpañol, llamado Tal
de SAAVEDRA, el qual con aver becho coſas
que quedaràn en la memoria de aquellas Gen-
tes por muchos años, i todas por alcanzar li-
bertad ; jamàs le diò palo, ni ſe lo mandò dàr,
ni le dijo mala palabra : i por la menor coſa
de muchas que bizo, temiamos todos que avìa
de ſer empalado, i aſsi lo temiò èl mas de una
vez : i ſi no fuera porque el tiempo no dà lu-
gar ; Yo digera abora algo de lo que eſte SOL-
DADO bizo, que fuera parte para entreteneros,
i admiraros barto mejor, que con el cuen-
to de mi Hiſtoria. Haſta aqui Cervantes ha-
blan-

blando de sì mifmo en boca del otro Cautivo : de cuyo teftimonio confta, que folo fuè
Soldado : I affi fe llamò en otras ocaſiones,
i no (p) Alferez, i Capitan : titulos con que
fe huviera honrado, à lo menos en el fron-
tifpicio de fus Obras, fi los huviera tenido.
Cinco años i medio fuè Cautivo, donde
aprendiò à tener paciencia en las adverfida-
des. (q) Bolviò à Efpaña, i fe aplicò à la
Comica. Compufo varias Comedias, que fe
reprefentaron con aplaufo, por la novedad
del arte, i adorno de las Tablas, el qual devieron al ingenio, i buen gufto de Cervantes los Theatros de Madrid. Tales fueron,
Los Tratos de Argèl, *La Numancia*, *La Batalla Naval*, i otras muchas, (r) manejando
Cervantes el primero, i ultimo affunto, como teftigo de vifta. Tambien compufo algunas Tragedias, que fueron bien recibidas.
(ſ) Su buen Amigo Vicente Efpinèl, Inven-
tòr de las Decimas, que por èl fe llamaron
Efpinelas, le juzgò digno de ponerle en fu
in-

(p) *En el Viagl del Parnaſ. c.* 1. *En el Prologo de la Galat. En la Aprobac. del* 2. *tom. de
Don Quijote, i en los Tratos de Argèl, M.S.*
(q) *En el Prologo de las Novelas.* (r) *Don
Quijote Tom. I. cap.* 48. (ſ) *Veaſe el miſmo Cap.*

ingeniofa *Cafa de la Memoria*, (t) quejan-
dofe de la defgracia de su cautividad, i ce-
lebrando la gracia de su genio Poetico, en
esta Octava:

> No pudo el Hado inefable avaro,
> Por mas que usò de condicion proterva,
> Arrojandote al mar, sin propio amparo
> Entre la Mora desleal caterva
> Hacer, Cervantes, que tu ingenio raro,
> Del furor inspirado de Minerva,
> Dejasse de subir à la alta cumbre,
> Dando altas muestras de Divina lumbre.

Antes que Espinèl, explicò estos mismos
pensamientos Luis Galvez de Montalvo, en
uno de los Sonetos, que preceden à la *Galatea*, que dice assi:

> Mientras del yugo Sarraceno anduvo
> Tu cuello preso, i tu cerviz domada,
> I allì tu Alma al de la fè amarrada
> A mas rigor, mayor firmeza tuvo:
> Gozase el Cielo, mas la Tierra estuvo
> Casi viuda sin ti; i desamparada
> De nuestras Musas la Real Morada
> Tristeza, llanto, soledad mantuvo.
> Pero despues que diste al Patrio suelo
> Tu alma sana, i tu garganta suelta
> Dentre las fuerzas barbaras confusas:
>   Des-

(t) *Rimas de Espinèl*, fol. 44. col. 2.

Descubre claro tu valor el Cielo:
    Gòzase el Mundo en tu felice buelta:
      I cobra España las perdidas Musas.

La conclusion de este Soneto prueva, que Miguèl de Cervantes Saavedra, aun antes de ser Cautivo, era yà tenido en España por uno de los mas ilustres Poetas de su tiempo.

13   Pero como el informe que se tiene por los oìdos, no suele ser el mas exacto; quiso Cervantes sugetarse al riguroso examen que hacen los juicios de los Letores en vista de las Obras. En el Año, pues, 1584. publicò *LOS SEIS LIBROS DE LA GALATEA*, los quales ofreciò, como primicias de su ingenio à Ascanio Colona, entonces Abad de Santa Sofia, i despues Presbitero Cardenal con el titulo de la Santa Cruz de Gerusalen. Don Luis de Vargas Manrique, celebrò esta Obra de Cervantes con un Soneto, que por ser mucho mejor que los que suelen hacerse, le pondrè aqui.

Hicieron muestra en Vos de su grandeza,
    Gran Cervantes, los Dioses soberanos:
      I, qual primera, dones immortales
      Sin tassa os repartiò Naturaleza.
Jove su rayo os diò, que es la viveza
    De palabras que mueven pedernales.
Diana el exceder à los mortales

En

En castidad de estilo con presteza:

Mercurio las Historias marañadas:

　Marte el fuerte vigor que el brazo, os mueve:

Cupido, i Venus todos sus amores:

Apolo las canciones concertadas:

　Su Ciencia las Hermanas todas nueve,

　I al fin el Dios Silvestre sus Pastores.

14　Este Soneto es una igualmente verdadera que hermosa descripcion de la *GALATEA*, Novela en que Cervantes manifestò la penetracion de su ingenio en la invencion; su fecundidad en la abundancia de hermosas descripciones, i entretenidos episodios; su rara habilidad en desatar unos ñudos al parecer indissolubles; i el feliz uso de las voces acomodadas à las Personas, i materia de que se trata. Pero lo que merece mayor alabanza es, que tratò de Amores honestamente, imitando en esto à Heliodoro, i Athenagoras: de los quales aquèl naciò en Emisa, Ciudad de Fenicia, i escriviò *Los Amores de Theagenes, i Clariquèa*; i este no se sabe si viviò jamàs; porque, si son verdaderas las congeturas del sabio Obispo de Avranches Pedro Daniel Huet; Guillermo Filandro fuè el que compuso la *Novela del Perfeto Amor*, i la prohijò à Athenagoras. Como quiera que sea, nuestro Cervantes escri-

criviò las cosas de Amor tan aguda, i filo-
soficamente, que no tenemos que embidiar
à la voracidad del tiempo las *Eroticas*, ò
Libros amorosos, de Aristoteles, de sus dos
Discipulos Clearco, i Theofrasto, i de Aris-
tòn Ceo, tambien Peripatetico. Pero èsta
misma delicadeza con que tratò Cervantes
del Amor, temiò que avia de ser reprehen-
dida; i assi procurò anticipar la disculpa.
Bien sè (dice) *lo que suele condenarse exceder
nadie en la materia del estilo que deve guar-
darse en ella; pues el Principe de la Poèsìa
Latina fue calumniado en algunas de sus Eglogas, por averse levantado mas que en las otras.
I assi no temerè mucho que alguno condene
aver mezclado razones de Filosofia entre algunas amorosas Pastoras, que pocas veces se
levantan à mas que tratar cosas de campo, i
esto con su acostumbrada llaneza. Mas advir-
tiendo que muchos de los disfrazados Pastores
de ella, lo eran solo en el havito, queda llana
esta obgecion.* No tuvo Cervantes igual disculpa que alegar en satisfacion de otra censura, que viene à parar en una nota de la fecundidad de su ingenio: i es, que entrete-
giò en èsta su Novela tantos Episodios, que
su multitud confunde la imaginacion de los
Letores, por atenta que sea; porque enlazados

dos unos con otros, aunque con gran artificio; este mismo no dà lugar à seguir el hilo
de la narracion, frequentemente interrumpi-
da con nuevos sucessos. Bien lo conociò èl, i
aun lo confessò , quando en voca del Cura
Pero Perez (que era hombre docto, Gra-
duado en Siguenza) i del Barbero Maesse Nicolàs , introdujo este coloquio. (u) *Pero que*
Libro es (Preguntò el Cura) *esse que està*
junto à èl? (Habla del *Concionero* de Lope
Maldonado) *LA GALATEA de Cervantes*
(dijo el Barbero) *Muchos años ha* (respondiò el Cura) *que es grande Amigo mio esse*
Cervantes , i sè que es mas versado en desdi-
chas , que en versos. Su Libro tiene algo de
buena invencion: propone algo , i no con-
cluye nada. Es menester esperar la Segunda
Parte que promete : quiza con la enmien-
da alcanzarà del todo la misericordia que
ahora se le niega: i entre tanto que este se vè,
tenedle recluso en vuestra Possada. No llegò el caso de publicar la Segunda Parte
de *la Galatea* , aunque la prometiò muchas veces. (x) Una cosa notè algunos años
ha,

(u) *Don Quijote , Tom. I. cap. 6.* (x) *En el*
fin de la Galatea, i en el Prologo del Tom. II.
de Don Quijote.

ha, (y) i la repito ahora por ser propia del
assunto; i es, que el estilo de *La Galatea* tiene
la colocacion perturbada, i por esso es algo
afectado. Las voces de que usa son mui propias; su construccion violenta, por ser des-
ordenada, i contraria al comun estilo de hablar. Imitò en esto los antiguos Libros de
Cavallerias: se conoce que de industria, i
por el deseo que tenia de la novedad: pues
su Dedicatoria, i Prologo tienen la colocacion mas natural; i las Obras que publicò
despues, mucho mas: de suerte que son una
manifiesta retractacion de su antiguo error.
En *La Galatea* ai Coplas de Arte Menor, de
suma discrecion, i dulzura, por la delicadeza de los pensamientos, i suavidad del estilo.
Sus composiciones de Arte Mayor son inferiores; pero ai en ellas muchos Versos, que
pueden competir con los mejores de qualquier Poeta.

15   Pero no es èsta la Obra por la qual
deve medirse la grandeza del ingenio, maravillosa invencion, pureza, i suavidad de estilo de Miguèl de Cervantes Saavedra. Todo
esto

(y) *En la Oracion en alabanza de las Obras de*
Don Diego Saavedra Fajardo ; la qual prece-
de à su Republica Literaria, reimpressa en
Madrid Año 1735.

efto fe admira mas en los Libros que compufo del ingeniofo Hidalgo *DON QUIXOTE
DE LA MANCHA.* Efte fuè fu principal
affunto ; i el defapaffionado examen de efta
Obra , lo ferà tambien de mi pluma en eftos
mis Apuntamientos de fu Vida , la qual ef-
crivo con mucho gufto , por obedecer à los
preceptos de un gran honrador de la buena,
i feliz memoria de Miguèl de Cervantes Saavedra, que quando no tuviera , como tiene,
una fama univerfal, la confeguiria ahora por
el favor de tan iluftre Protectòr. (z)

16   Es la Letura de los Libros malos una
de las cofas que corrompen mas las coftum-
bres , i de todo punto deftruyen las Republicas. I , fi tanto daño caufan los Libros,
que folamente refieren los malos egemplos,
què no haran los que fe fingen de propofito
para introducir en los animos incautos el
veneno almivarado con la dulzura del eftilo?
Tales fon las *Fabulas Milefias* , llamadas afsi
porque fe introdugeron en Mileto , Ciudad
de Jonia , Provincia infamemente aplicada
à todo genero de Delicias; como tambien los
Sabaritas en Italia , de donde tomaron nombre las *Fabulas Sibariticas.* El affunto de éf-
tas *Fabulas* (hablo ahora folamente de las
                          B   ma-

(z) *El Excmo. Señor Milord Càrteret.*

18 *Vida de Miguèl*

malas) fuele fer, deftruir la Religion, em-
bravecer los animos, afeminarlos, ò inftruir-
los en todo genero de maldades.

17 Efcrivieron los Hebreos las defvaria-
das *Fabulas de la Cabala*, i el *Thalmud*, para
foftener los defatinos de fu incredulidad con
la credula perfuafion de las mentiras mas ridiculas, enormes, i defpreciables, que fe
pueden imaginar; i para no dar afenfo à la
verdad de la Religion Chriftiana, mas vifi-
ble al Mundo que la luz del Sol: i es tal fu
aficion à las patrañas, que en la mifma verdad defconocieron la verdad, llegando à
perfuadirfe, fin otro fundamento que fu aficion à las Fabulas, que el Libro de Job, es
una mera Parabola. Dieronles fe los Anabap-
tiftas, i arrojada, i temerariamente digeron,
que la Hiftoria de Efthèr, i de Judith, tambien eran Parabolas, compueftas por los Hebreos para diverfion del Pueblo. Affi abufan
ellos de fus Fabulas para confirmar fu Secta;
i de fus propias invenciones para deftruir la
verdad de las Hiftorias mas authenticas que
tiene el Mundo, i como tales nos las confer-
varon fus propios mayores.

18 Con èfte mifmo intento de deftruir
la verdadera Religion, eftà efcrito tambien
El Alcoran de Mohoma, el qual, fegun ob-
fer...

fervò el doctíssimo Maestro Alexio Venegàs
(a) *Contiene una Secta quarteada, cuyo principal Quarto es la Vida Porcuna, que dicen Epicurea. El Segundo es tegido de Ceremonias Judaicas, vacías del significado que solían tener antes del advenimiento de Christo. El Tercero Quarto, de las Heregías, Arriana, i Nestorea. El Quarto Quarto, es la Letra del Evangelio, torcida, i mal entendida, conforme à su desvariado proposito. Tambien son Fabulas de este juèz La Cuna, i Jara, que urdieron los Moros en su Iglesia de Malignantes.*

19 El otro designio de los perversos Libros Milésios, es, afeminar los animos, representando con viveza las cosas del Amor, i excitando con las Imagenes, pensamientos, i deseos amorosos. En este genero de Escritos mucho mejor es no citar egemplos; i quando se alègue alguno, sea *El Asno de Apuleyo*, para que el mismo egemplo sea recuerdo de que la Torpeza transforma los Hombres en Bestias.

20 Afeminan los animos por una parte, i por otra los embravecen, ciertos Libros que llamamos *De Cavallerias*, porque en ellos se descriven las monstruosas hazañas de

B 2 unos

(a) *En la Exposicion del Momo, traducido por Agustin de Almazàn, Conclus. 2.*

unos Cavalleros imaginarios, que tenìan sus
Damas, i por ellas hacìan mil locuras, hasta
llegar à hacerles oracion, invocandolas en
sus peligros con ciertas formulas, como si
fuessen abogadas de las lides, i peleas: (b) i
por su respeto emprendìan, i hacian mil locuras. La letura pues de estos Libros incita-
va los animos à unas acciones barbaras por
el imaginario punto de defender las Mugeres, aun por causas deshonestas. I esto llegò
à tal estremo, que las mismas Leyes lo juz-
garon digno de reprehension, i como tal lo
refieren entre los abusos, diciendo: (c) *E aun*
porque esforzassen mas, tenìan por cosa gui-
sada, que los que oviessen amigas, que las
nombrassen en las lides, porque les creciessen
mas los corazones, è oviessen mayor verguenza
de errar.

21　El ultimo genero de perniciosas *No-*
velas es, el que con pretexto de cautelar de
la vida picara, la enseña. De cuya composicion tenemos en España tanto numero de
egemplos, que serìa cosa ociosa citar algunos.

22　De todos estos Libros, los que ma-
learon mas las costumbres publicas, fueron
los *Cavallerescos.* Las causas de su introducion fueron estas.　　　　　　　　　　Las

(b) *Don Quijote Tom. I. Cap. 3. 8. & 13.*
(c) *Vease la Lei 22. tit. 21. Partid. 2.*

23 Las Naciones Septentrionales se apo-
deraron de toda Europa. Los habitadores
de ellas arrojaron las plumas, i empuñaron
las armas. El que mas podìa, mas valìa. Pudo mas la Barbarie, i saliò vencedora, i triun-
fante; quedaron abatidas las Letras; perdi-
do el conocimiento de la Antiguedad; i ani-
quilado el buen gusto. Pero, como donde no
se hallan èstas cosas, la necessidad las echa
menos; sucedieron en su lugar, la falsa dotrina, i depravado gusto. Escrivieron Historias, que fueron fabulosas, porque se perdiò, ò no sabìa buscarse la memoria de los
sucessos passados. Unos Hombres, que de
repente querìan ser los Maestros de la Vida,
mal podìan enseñar à los Lectores lo que
nunca avìan aprendido. Tal fuè Telesino He-
lio, Escritor Inglès, que cerca del año seis-
cientos quarenta, reinando Artùs en Bretaña, escriviò los hechos de este Rei fabulo-
samente. Imitòle Melquino Avalonio, que
en tiempo del Rei Vortiporio, cerca del año
650. escriviò la Historia de Bretaña, mezclando los cuentos del Rei Artùs, i de la Tabla redonda. La Historia publicada en nombre de Gildas, por renombre el *Sabio*, Mon-
ge que fuè de Galès, es del mismo jaez. Refiere las maravillosas hazañas del Rei Artùs,

de

de Parcebal, i Lanzarote. El Libro de Hunibaldo Franco, reducido à compendio por el Abad Tritbemio, es un monton de mentiras neciamente fingidas. El otro Libro falsamente atribuido al Arzobispo Turpin, siendo posterior à el mas de 200. años, trata de las hazañas de Carlo Magno llenas de patrañas, i se fingiò en Francia; no en España, como alguno dijo solo porque quiso. Con essos Libros se deven adocenar las fabulosas Historias, falsamente prohijadas à Hancon Forteman, i Salcon Forteman, à Sivardo el Sabio, à Juan Abgil-lo hijo de un Rei de Frisia, i à Adel-Adelingo, decendiente de los Reyes de la misma Nacion : todos los quales se dice que fueron Frisios, i se finge que vivieron en tiempo de Carlo Magno, cuyas cosas escrivieron.

24   Tambien fuè fabulosa la *Historia de los Origenes de Frisia*, atribuida à Occon Escarlense, nieto, segun fingen, de una Hermana de Salcon Forteman, i coëtaneo de Othon el Grande. Ni merece mayor credito la Historia de Gaufredo Monumetense, Breton, donde estàn escritas las hazañas del Rei Artùs, i del Sabio Merlin, por mas que se diga que las sacò de memorias antiguas.

25   Estas eran las Historias que tanto se
aplau-

aplaudìan entre las Naciones que entonces
eran menos rudas. Avia Hombres neciamente ocupados en fingir , i publicar tan extra-
vagantes caprichos; porque avia Letores mas
necios que ellos , que los leìan , i aplaudìan,
i tal vez los creìan.

26 Los Trobadores tambien, quiero decir los Poetas , que en tiempo de Ludovico
Pio empezaron à cultivar *La Gaya Ciencia*,
esto es , la Poesìa , como si digessemos *La
Ciencia festiva*, se aplicaron à reducir al me-
tro aquellas mismas patrañas ; i cantandolas
todos , se hicieron vulgares.

27 En España el uso de la Poesìa es mucho mas antiguo. No tràto de los tiempos
mas apartados del nuestro ; i por esto no me
*valgo del testimonio de Estrabon. (d) Hàblo
solo de la Poesìa vulgar, que llamamos *Rith-
mica*. No ai memoria de ella en toda Europa antes de la entrada de los Arabes en España. Ellos solos tienen mayor numero de
Poetas , i Poesìas , que todos los Euro-
peos. Pegaron èsta aficion , ò confirmaron
mas en la que ya tenìan à los Españoles,
los quales componìan Rimas con todo el
primor que requiere el Arte : como lo refiere con prolija curiosidad Alvaro Cordo-
vès,

B 4

(d) *Lib.* 3.

vès , (e) quajandofe de ello 130. años defpues de la perdida de Efpaña. Si algunas , ò
muchas de aquellas Poesias Arabes que refiere Alvaro, eran efpecie de *Novelas*, no me
atreverè à afirmarlo. Las hazañas de fu Buhalul tan celebradas de ellos en profa, i ver-
fo , fin duda fo son. Lo cierto es, que la tradicion aun hoi conferva en Efpaña ciertas
Hablillas , que llamamos *Cuentos de Viejas*,
llenos de Encantamientos , de donde viene
à tantos la crudelidad de èstos. Por effo Cervantes hablando con la propriedad que fuele,
llamò *Cuentos* à fus *Novelas*. (f) Bien que
Lope de Vega quifo diftinguir los *Cuentos* de
las *Novelas* , quando efcriviendo à la señora
Marcia Leonarda, dijo affi : (g) *Mandame*
V. m. efcriva una Novela. Ha fido novedad
para mi : que aunque es verdad que en LA
ARCADIA , i PEREGRINO ai alguna par-
te de èfte genero , i eftilo , mas ufado de Ita-
lianos , i Francefes , que de Efpañoles; con ta-
do es grande la diferencia , i mas humilde el
modo. En tiempo menos difcreto que el de ago-
ra , aunque de mas hombres fabios , llamaban
à

(e). *Veafe* Aldrete , *Origen de lengua Cafte-*
llana , Lib. 1. *cap.* 22. (f) *Veafe el fin de fu*
Galatea , *i la* Dedicatoria de fus Novelas.
(g) *En la Dedicatoria de fus Novelas.*

à las NOVELAS, CUENTOS. *Estos se sabìan de memoria, i nunca, que Yo me acuerde*, los vì escritos. Yo soi de sentir, que entre *Cuento*, i *Novela*, no ai mas diferencia, si es que ai alguna, que lo dudo, que ser aquel mas breve. Como quiera que sea, los *Cuentos* suelen llamarse *Novelas*, i las *Novelas*, *Cuentos*; i estos, i aquellas. *Fabulas.* Los que pretenden hablar con distincion, aun añaden otra especie de *Fabulas*, que llaman *Cavallerìas:* Por esso Lope de Vega, continuando en referir las Costumbres de los Españoles en lo que toca à la aficion dè Relaciones fingidas; immediatamente añadiò: *Porque se reducìan sus Fabulas à una manera de Libros que parecìan Historias, i se llamaban en lenguage Castellano, CAVALLERIAS, como si digessemos HECHOS GRANDES DE CAVALLEROS VALEROSOS. Fueron en èsto los Españoles ingeniosissimos, porque en la invencion ninguna Nacion del Mundo les ha hecho ventaja, como se vè en tantos Esplandianes, Febos, Palmerines, Lisuartes, Floranbelos, Esferamundos, i el celebrado Amadìs, Padre de toda èsta màquina, que compuso una Dama Portuguesa.* Al leer èsto ultimo, me detuvo la novedad, porque en el tiempo en que se publicò la fingida

Hif-

Historia de *Amadìs*, no sè Yo que huvieſſe
en el Reino de Portugal Dama capàz de eſcrivir Libro de tanta invencion, i novedad.

28　El erudito, i juicioſo Autor del *Dia-*
logo de las Lenguas, que eſcrivìò en tiempo
de Carlos V. i examinò èſta Obra mui de
propoſito, ſiempre habla ſuponiendo que el
Autor ſuè Hombre, i no Muger. El ſabio
Arzobiſpo de Tarragona, Don Antonio
Aguſtin, dice hablando de *Amadìs de Gaula.*
(h) *El qual dicen los Portugueſes que lo com-*
puſo Vaſco Lobera. I uno de los interlocuto-
res añade luego. *Eſſe es otro ſecreto que pocos*
lo ſaben. Manuel de Faria i Souſa en el erudito Prologo que hizo à ſu *Fuente de Agani-*
pe, publicò un Soneto, que dice que eſcriviò el Infante Don Pedro de Portugal, hijo
del Rei Don Juan el Primero, en alabanza
de Vaſco de Lobera, por aver eſcrito el
Amadìs. Yo he obſervado que *Amadìs de*
Gaula es Anagrama puro de la *Vida de Ga-*
ma. De donde mis amigos los Portugueſes
podran inferir otras muchas, i mui prova-
bles congeturas.

29　Como quiera que ſea (que ſemejantes coſas deſpues de tanto tiempo no ſon faciles de averiguar) ſiendo nueſtro Libro de
Ca-

(h) *Dialogo II. pag.* 42.

Cavallerias mas antiguo cerca de cien años
posterior à los que tratan de Tristan, i Lanzarote ; esto diò motivo à que el eruditissimo Huet siguiendo à Juan Bautista Giraldo,
digesse (i) que los Españoles recibieron de
los Franceses el Arte de Novelas. En lo que
toca al assunto de Cavalierias , lo creerè sin
repugnancia. Pero la misma Arte que reci-
vieron los Españoles, ruda, i desaliñada, la
pulieron, i hermosearon tanto, que passò
el atavio à descompostura. Empezaron los
Españoles de la misma suerte que los Estrangeros. La ignorancia de las Historias verdaderas, puestos en ocasion de aver de escrivirlas , los obligò à llenarlas de mentiras;
particularmente tratando de cosas passadas;
que raras veces fue tan grande el atrevimiento, i descaro que se atreviessen à mentir à
las claras escriviendo de las presentes. Pero
como el tiempo presente se hace passado, la
libertad de fingir confundìa de tal suerte la
verdad con la mentira, que no se podìa dis-
tinguir la una de la otra. Assi vemos que los
Cantares Fabulosos , ò por hablar mas claro, los Romances , en mi opinion assi llamados de *Roman*, palabra Francesa, que significa *Novela* ; vemos digo que los Cantares,

(i) *Lettre de l' Origine des Romans.*

res, ò Romances mentirosos, que al principio solo eran entretenimientos del vulgo ignorante, despues llegaron à autorizarse tanto, repitiendose en boca de los demàs, que
con facilidad passaron à ser Texto, entretegidas sus ficciones en la *Chronica General de*
España, que fuè copilada por Autoridad
Real. Pernicioso egemplo, cuya imitacion
llegò à poner nuestras Historias en tan infe-
liz estado que se atrevio à decir un Historiador nuestro, reputado por uno de los mas
Discretos de su tiempo, que *Fuera de las Le-*
tras Divinas no ai que afirmar, ni que negar
en ninguna de ellas. I quien era èste Hombre
que desterraba la Verdad, de la Historia,
siendo èsta el testigo mas abonado, i casi
unico de los tiempos passados? Digalo el
mismo que derechamente se lo reprehendiò,
el eruditissimo Bachiller Pedro Rhua, Pro-
fessor de Letras Humanas, el qual escrivien-
dole, le dice assi: (k) *Es vuestra Señoria en*
sangre Guevara: (l) *es en Oficio Coronista:*
es en Profession Theologo: es en Dignidad, i
Meritos Obispo: de todos èstos renombres es
amar

(k) *En la Carta* 3. (l) *Fr. Antonio de Gue-*
vara Obispo de Mondoñedo, distinto de Don
Antonio de Guevara, Prior de San Miguèl de
Escalada.

amar la verdad : *escrivir verdad : predicar
verdad : vivir en la verdad : i morir por ella.*
Assi holgarà oìr verdad, i ser avisado de ella.
I mas adelante : *Escrivì à vuestra Señorìa,
que entre otras cosas que en sus Obras culpan
los Letores : es una la mas fea, i intolerable
que puede caer en Escritor de Autoridad : como vuestra Señorìa lo es : i es , que dà Fabulas por Historias, i Ficciones proprias por Nar-
raciones agenas : i alega Autores que no lo dicen, ò lo dicen de otra manera , ò son tales que
no los hallaràn sino in Aphanis , como digeron
los Crotoniatas à los Sibaritas : en lo qual
vuestra Señorìa pierde su Autoridad , i el Letor , si es idiota , es engañado ; i si es diligen-
te, pierde el tiempo ; quando busca à do cantan
les Gallos de Nibas : como dice el Refràn Griego.* Desta falsa opinion que tenìa el Obispo
de Mondoñedo de la libertad de fingir Historias, naciò el persuadirse , que pues otros
muchos aviàn escrito lo que se les avìa anto-
jado ; podìa èl imitarlos : licencia que se tomò tan atrevidamente , que no solo fingiò
Sucessos , i Autores , en cuyos nombres lo
confirmava ; sino tambien Leyes. I aludiendo a èsto Rodrigo Dosma en el *Catalago de
los Obispos de esta Ciudad* , que se halla al fin
de sus *Discursos Patrios* , hablando del Rei
Don

Don Alonso XI. de Leon , dijo : *Poblò la Ciudad, i le diò Fueros, llamados de Badajòz, que Yo tengo ciertos , no los Fingidos de Guevara.* Como tales los tenìa el Doctissimo Aldrete ; pero por su gran modestia no se atreviò à manifestar del todo su juicio. *Lo mismo es* (dice) (m) *en los Fueros de Badajòz, si son ciertos ; que Yo en este no quiero determinar. Por el Autor que los puso , corre riesgo su certidumbre , por la poca que tienen otras cosas que escrive.* Harto hizo señalando con el dedo al Obispo de Mondoñedo. De quien dijo tales cosas Don Antonio Agustin , aunque tan modesto , que por la autoridad de quien las refiere , mas quiero Yo que se lean en sus *Dialogos* , que no copiadas aqui. (n) No es mi animo infamar la memoria de un Varon de tan delicada conciencia, que aviendo sido Coronista del Emperador Carlos V. i escrito sus Coronicas hasta que vino de Tunez; mandò en su Testamento que se restituyesse à su Magestad el salario de un año ; porque en èl no avia escrito cosa alguna ; considerando , como devìa , que este , i semejantes salarios , no se dan en remuneracion de servicios passados ; sino en recompensa del traba-

(m) *Origen de la Leng. Castell. Lib. 2. cap. 6.*
(n) *Dialog. X. pag. 426. Dial. XI. pag. 447.*

bajo que se deve poner, satisfaciendo à la
obligacion del propio empleo; la qual es
indispensable, porque se deve à toda la Republica, que es lo mismo que decir, que
son Acreedores legitimos los que son, i seràn miembros suyos, esto es, los Ciudada-
nos presentes, i venideros. Solo he referido
tan memorable egemplo para que se conside-
re lo que puede la costumbre de las Ficciones contrarias à la Verdad, si aquella se es-
tiende; pues aun à los hombres buenos, naturalmente discretos, i mui estudiosos como
fuè el Obispo Guevara, llega à pervertir el
juicio, i miserablemente pervirtiò los de la
mayor parte de los Españoles solo porque
se dejavan llevar del pernicioso halago de
los Libros de Cavellerìas.

30 Acostumbrados pues los entendimientos à la maravilla que causavan las es-
travagantes hazañas entretegidas en las Historias; se atrevieron à escrivir unos Libros
enteramente fabulosos : lo qual serìa mucho
mas tolerable, i aun digno de alabanza, si
finguiendo con verosimilitud, representassen
la idèa de unos grandes Heroes, en quienes
se viesse premiada la Virtud, i castigado el
Vicio en la gente ruin. Pero de què manera
se escriviessen aquellos Libros, digalo el jui-

cio

cioso Autor del *Dialogo de las Lenguas.* Quanto a las cosas (dice) *siendo esto assi , que los
que escriven mentiras , las deven escrivir de
suerte que se alleguen quanto fuere possible à
la verdad , de tal manera que puedan vender
sus mentiras por verdades ; nuestro Autor de
Amadìs* (que fuè el primero que , i el que
mejor escriviò los Libros de Cavallerìas)
*una vez por descuido , i otras no sè por què,
dice cosas tan a la clara mentirosas , que en
ninguna manera las podeis tener por verdaderas.* Lo qual confirma con varios egemplos.
Esto mismo reprehendìa el sabio Luis Vives
(o) con aquella gravedad , i peso de razones
que le hizo el mas severo Critico de su tiempo. ,, La erudicion (*decia*) no se ha de espe-
,, rar de unos hombres , que ni aun vieron
,, la sombra de la erudicion. Pues quando
,, cuentan algo ; què gusto puede aver en
,, unas cosas , que fingen tan abierta , i ne-
,, ciamente ? Este hombre solo matò à veinte
,, juntos : aquèl à treinta : el otro traspassa-
,, do con 600. heridas, i dejado yà por muer-
,, to se levanta luego ; i el dia siguiente , res-
,, restituìdo yà à su salud , i fuerzas , mata
,, en un desafio à dos Gigantes , i sale de allì
                                        ,, car-

(o) De Christiana Fœmina. *Cap. Qui non legendi Scriptores , qui legendi.*

,, cargado de oro, plata, sedas, piedras pre-
,, ciosas, con tanta abundancia, que ni una
,, Nave de carga las podria llevar. Què lo-
,, cura es dejarse llevar, i detenerte en seme-
,, jantes despropositos? Fuera de èsto no ai
,, cosa dicha con agudeza, sino es que se
,, cuenten como tales algunas palabras que
,, sacaron de los mas ocultos escondrijos de
,, Venus, las quales se dicen mui aproposito,
,, para mover, i sacar de sus quicios à la que
,, dicen que aman, si por ventura en ella ai
,, alguna constancia en resistirse. Si por esto
,, se leen èstos Libros; menos mal sera leer
,, aquellos que tratan (permitid, Letores, el
,, termino) de alcahueteria. Porque en lo
,, demàs, què discreciones pueden decir unos
,, Escritores faltos de toda buena dotrina, i
,, arte? Yo nunca he oìdo à hombre que di-
,, gesse agradarle tales Libros, exceptuando
,, solo à los que nunca tocaron en sus manos
,, Libro bueno: i confiesso mi pecado, que
,, tambien los he leìdo alguna vez; pero no
,, hallè rastro alguno, ò de buena intencion,
,, ò de mejor ingenio. A aquellos pues que
,, los alaban, de los quales conozco algunos,
,, entonces les darè credito, quando digan
,, esso despues de aver gustado à Seneca, ò
,, à Ciceron, ò à San Geronymo, ò à la Sa-

,, grada Escritura : i quando sus costumbres
,, tambien no sean del todo estragadissimas:
,, porque las mas veces la causa de aprovar
,, tales Libros , es contemplar en ellos sus
,, costumbres , representadas , como en un
,, Espejo , i regocijarse de verlas aprovadas.
,, Finalmente aunque lo que dicen fuesse mui
,, agudo , i agradable ; Yo nunca querrìa un
,, deleite emponzoñado , i que mi Muger se
,, ingeniasse para hacerme traicion.

31 A èste tenor prosigue el Sabio Vives,
el qual en otra parte refiere (p) entre las
Causas de la Corrupcion de las Artes la leyenda de los Libros de Cavallerias : *Quieren*
(dice) *leer unos Libros manifiestamente men-*
tirosos , i llenos de meras bagatelas , por cier-
to balago del estilo , como Amadìs , i Florian,
Españoles ; Lanzarote , i la Tabla Redonda,
Franceses ; Rolando , Italiano : los quales Li-
bros fingieron unos hombres ociosos , i los lle-
naron de un genero de mentiras , que ni con-
ducen algo para saber , ni para juzgar bien
de las cosas , ni para vivir ; sino solamente
para hacer cosquillas à la concupiscencia. I aun
por esso los leen unos hombres de unos ingenios
corrompidos con el ocio , i condecendencia de su
pro-

(d) *De Causis corruptarum articum* , Lib. *II*,
in fine.

propio amor : no de otra fuerte que algunos
eftomagos delicados que fe lifongean mucho, i
folo fe fuftentan con ciertas confituras de azu-
car, i miel, defechando toda comida folida.
No era folo Vives el que fe quejaba de efto.
Pero Megìa, Chronifta de Carlos V. i difi-
creto Hiftoriador de aquellos tiempos, fe
lamentò de lo mifmo con gran fentimiento,
(q) tanto, que el Inca Garci-Laffo, por folo
fu teftimonio nunca quifo leer tan defatina-
dos Libros. El Maeftro Venegas, con fu acof-
tumbrado juicio, dijo: (r) *En nueftros tiem-*
pos con detrimento de las doncellas recogidas
fe efcriven los Libros defaforados de Cavalle-
rias, que no firven fino de fer unos Sermona-
rios del Diablo con que en los rincones caza
los animos tiernos de las doncellas. Omitiendo el teftimonio de otros graviffimos Autores, uno de los Efpañoles de mayor juicio,
i el mayor Theologo que huvo en el Concilio de Trento, (Vifto es que hablo del Obif-
po Cano) nos dejò efcrito lo figuiente: (f)
Nueftra edad ha vifto un Sacerdote que efta-
va mùi perfuadido à que cofa que una vez fe

C 2 bu-

(q) *Hiftoria Imperial, i Cefarea.* En la Vida
de Conftantino, Cap. 1. (r) *En la Expofi-*
cion del Momo, Conclufion 2. (f) *De Locis*
Theologicis, Lib. II. cap. 6.

buvieſſe impreſſo, de ningun modo era falſa.
Porque, ſegun decìa, los Miniſtros de la Republica no avìan de cometer tan gran maldad,
que no ſolo permitieſſen que ſe divulgaſſen
mentiras, ſino que tambien las autorizaſſen
con ſu privilegio, para que mas ſeguramente
ſe eſparcieſſen por los entendimientos de los
hombres; i movido de eſte argumento llegò à
creer, que Amadìs, i Clarìan verdaderamente obraron aquellas coſas que ſe cuentan eu ſus
Libros patrañeros. Quanto peſo tenga el motivo de aquel (aunque ſencillo Sacerdote) contra los Miniſtros de la Republica, no es propio de eſte lugar i tiempo el diſputarlo. Yo
ciertamente por lo que à mi me toca, con grande ſentimiento, i dolor de mi alma, digo, que
con gran daño, i ruìna de la Igleſia, ſolo ſe
cautela en la publicacion de los Libros, que no
eſtèn rociados de errores contra la Fè, ſin cui-
dar que no los aya dañoſos à las coſtumbres. I
principalmente no me inquieto por eſſas Novelas, que poco hà nombre, aunque eſcritas ſin
erudicion; i tales, que nada nada conducen, no
digo para vivir bien, i dichoſamente, pero ni
aun para formar buen juìcio de las coſas humanas. Porque què pueden aprovechar unas
meras, i vanas frioleras, fingidas por unos
hombres ocioſos, i manoſeadas de unos ingenios

nios cerrompidos con los vicios? Sino que mi dolor, &c. Palabras dignas de escrivirse en Letras de Oro, por las quales se conoce quanto apreciava el Obispo Cano los dictamenes de Vives, à quien frequentemente copiava, aunque tal vez le zahiriò injustamente por las ocultas causas que Yo me sè, i que, si Vives viviera, huviera sabido vindicar. Pero Vives vivirà en la memoria de los hombres: i algun tiempo avrà algun aficionado suyo, que juntando la autoridad al saber, desharà el agravio que se hizo, i aun hoi se tolera contra tan piadoso Varon.

32   Entretanto basten las quejas referidas para hacer juicio del daño que hacian los Libros de Cavallerìas: los quales estavan tan encastillados en los animos de la mayor parte de los Letores, que las quejas, invectivas, i Sermones de los hombres mas juiciosos, sabios, i zelosos de la Nacion, no bastavan à desterrarlos. Ni se logrò conseguir tan immortal hazaña hasta que quiso Dios, que Miguèl de Cervantes Saavedra escriviesse (como èl mismo lo dice (t) en boca de un Amigo suyo) *Una invectiva contra los Libros de Cavallerìas, publicando* la HISTORIA DE DON QUIJOTE DE LA MANCHA.

C 3

(t) *En el Prologo de su Tom. 1.*

CHA : *la qual no mira à mas que à deshacer*
la autoridad , i cabida que en el Mundo , i en
el Vulgo tienen los Libros de Cavallerias. Con-
siderava Cervantes que un clavo saca à otro;
à que supuesta la inclinacion de la mayor
parte de los ociosos à semejantes Libros; no
era el medio mejor para apartarlos de tal letura la fuerza de la Razon , que solo suele
mover à los animos considerados; sino un
Libro de semejante Inventiva , i de honesto
Entretenimiento , que excediendo à todos
los demàs en lo deleitable de su letura, atra-
gesse à sì à todo genero de Gentes; discretos , i tontos. Para cuyo fin no era necessario gran fondo de dotrina ; sino tal discrecion , i gracia en el decir , que se llevassen
toda la atencion. Por esso Cervantes en
aquel su discretissimo *Prologo* , en que tan
agudamente satirizò la vanidad de los malos
Escritores; despues de un graciosissimo Coloquio entre èl , i un Amigo suyo , hace que
èste le proponga la Idea que deve seguir , la
qual es èsta : *Si bien caigo en la cuenta , èste*
vuestro Libro no tiene necessidad de ninguna
cosa de aquellas que vos decis que le falta; por-
que todo èl es una invectiva contra los Libros
de Cavallerias, de quien nunca se acordò Aris-
toteles , ni dijo nada San Basilio , ni alcanzò

Ciceron : ni caen debajo de la cuenta de sus fabulosos disparates las puntualidades de la verdad; ni las observaciones de la Astrologia ; ni
le son de importancia las medidas Geometricas;
ni la confutacion de los argumentos de quien se
sirve la Retherica ; ni tiene para que predicar
à ninguno, mezclando lo humano con lo Divino, que es un genero de mezcla, de quien no se
ha de vestir ningun Christiano entendimiento.
Solo tiene que aprovecharse de la imitacion en
lo que fuere escriviendo; que quanto ella fuere
mas perfeta , tanto mejor será lo que se escri-
viere. I pues esta vuestra Escritura no mira à
mas que à deshacer la autoridad, i cabida, que
en el Mundo , y en el Vulgo tienen los Libros
de Cavallerias , no ai para què andeis mendi-
gando Sentencias de Filosofos , Consejos de la
Divina Escritura , Fabulas de Poetas , Ora-
ciones de Retoricos , Milagros de Santos : sino
procurar que à la llana , con palabras signifi-
cantes, honestas , i bien colocadas, salga vuestra Oracion , i periodo sonoro , i festivo : pintando en todo lo que alcanzaredes , i fuere possible , vuestra intencion ; dando à entender
vuestros conceptos , sin intrincarlos , i escure-
cerlos. Procurad tambien, que leyendo vuestra
Historia el melancolico se mueva à risa, el ri-
sueño la acreciente , el simple no se enfade , el

dis-

*discreto se admire de la invencion, el grave
no la desprecie, ni el prudente dège de alabar-
la. En efecto, llevad la mira puesta à derri-
var la màquina mal fundada de estos Cavallerescos Libros, aborrecidos de tantos, i alaba-
dos de muchos mas: que si esto alcanzassedes,
no avriades alcanzado poco.*

33   Estando pues Cervantes tan bien ins-
truido; veamos ahora, sin passion, si fuè
capaz de egecutarlo.

34   En tres cosas consiste la perfeccion
de un Libro: en la buena Invencion, devida
Disposicion, i Lenguage proporcionado al
assunto que se trata.

35   La Invencion de Cervantes es conforme al caracter de un Hidalgo de harto
buen juìcio, que aviendole ilustrado con la
letura de los Libros, le perdiò desvelandose
en los de Cavallerias; i dando en la manìa
de imitar aquellas locas hazañas que avia leìdo; eligiò por Escudero un Labrador senci-
llo, i gracioso; i por no estar sin Dama, se
la figurò en su imaginacion segun la medida
de su corazon Platonicamente enamorado. I
con el pensamiento de provar aventuras; èl
en su Cavallo, à quien llamò *Rocinante*;
despues en su Segunda, i Tercera Salida, con
su Escudero Sancho Panza, mui sobre su Asno.

no, llamado *Rucio*, saliò en busca de la buena suerte.

36   La Idea pues de Miguèl de Cervantes Saavedra, i el sentido de ella, à lo que Yo alcanzo, son como se siguen. Alonso Quijada, Hidalgo Manchego, se diò enteramente à la leccion de los Libros de Cavallerìas: vicio mui general en la gente ociosa, i mal entretenida. La demasiada aplicacion à los Libros Cavallerescos, le secò el celebro, i bolviò el juicio, como al otro famoso Rustico, conocido por el nombre de Paladìn. Lo qual significa que aquella vana Letura trastornava los juicios, haciendo à los Letores atrevidos, i temerarios, como si huviessen de tratar con hombres meramente fantasticos. El infelìz Manchego creyò ser verdaderas aquellas hazañas prodigiosas que avìa leìdo; i le pareciò necessaria en el Mundo la profession de los Cavalleros Andantes, para deshacer, i inderezar tuertos, como èl decìa. Quiso pues entrar en tan honrosa Cofadrìa, i emplarse en unos egercicios tan saludables al Genero Humano. Condicion mui propia de hombres presumidos de valientes, que con insolente atrevimiento todo lo quieren remediar, sin ser de su obligacion. Alonso Quijada tomò para sì el renombre de DON QUI-
JO-

JOTE DE LA MANCHA , i se dexò armar
Cavallero de un Ventero. Los que salen de
su esfera , luego se tienen por unos Guzma-
nes : suelen variar los Apellidos ; i , si se llega à èsto alguna esterior marca de honor,
piensan que solo se lee aquel sobrescrito , i
que en el Mundo Politico no ai Zahoris que
miren , noten , i registren lo mas interior.

37 DON QUIJOTE se llamò con el ri-
vete DE LA MANCHA , i su Dama imagi-
naria , DULCINEA DEL TOBOSO, Lugar
de la Mancha ; porque segun he oido decir,
Miguèl de Cervantes fuè allà con una Comission ; i por ella le capitularon los del Toboso , i dieron con èl en una Carcel. I en agradecimiento de èsto (que no la hemos de llamar Venganza aviendo resultado en tanta
glòria de la Mancha) hizo Cervantes Man-
chegos, à su Cavallero Andante, i à su Dama.
Que Cervantes (qual otro Nevio que escriviò en la Carcel sus dos Comedias, *El Ario-
lo* , i *Leonte*) compusiesse esta Historia encar-
delado tambien ; lo confessò èl mismo , diciendo : (u) *Que podrà engendrar el esteril , i
mal cultivado ingenio mio, sino la Historia de
un Hijo seco , avellanado , antojadizo , i lleno
de pensamientos varios , i nunca imaginados
                                                  de*

(u) *En el Prologo de la Primera Parte.*

*de otro alguno? Bien, como quien se engendrò
en una Carcel , donde toda incomodidad tiene
su assiento , i donde todo triste ruido hace su
havitacion.*

38   Veamos ahora què es lo que hace
DON QUIJOTE ; el qual ya sale de su casa
en un Cavallo flaco, simbolo de la debilidad
de su empressa , siguiendole en su Segunda, i
Tercera Salida SANCHO PANPA en su Rucio , geroglifico de la simplicidad.

39   En DON QUIJOTE se nos representa un valiente Maniatico , que pareciendole muchas cosas de las que vè , semejantes
à las que leyò ; sigue los engaños de su imaginacion, i acomete empressas, en su opinion , hazañosas ; en la de los demàs, disparatadas : quales son las que los antiguos Libros Cavallerescos refieren de sos Heroes
Imaginarios : para cuya imitacion bien se
echa de vèr quanta erudicion Cavalleresca
era necessaria en un Autor , que à cada passo
avia de aludir à los hechos de aquella inume-
rable caterva de Cavalleros Andantes. La letura de Cervantes en èste genero de Historias
fabulosas fuè sin igual , como lo manifiesta
en muchissimas partes. (x)

Fue-

(x) *Tom. I.Cap. 6. 18. 32. & 49. Et Tom.
II.Cap. 1. & 26.*

40   Fuera de sus manìas habla Don Quijote como hombre cuerdo, i son sus Discursos mui conformes à razon. Son mui dignos
de leerse los que hizo sobre el Siglo de Oro,
ò primera Edad del Mundo, poeticamente
descrita; (y) sobre la manera de vivir de los
Estediantes, i Soldados; (z) sobre las distin-
ciones que ai de Cavalleros, i Linages; (a)
sobre el uso de la Poesìa; (b) i las dos Instrucciones, una Politica, (c) i otra Economica,(d) las quales diò à Sancho Panza, quando iva a ser Governador de la Insula Barata
ria, son tales, que se pueden dar à los Governadores verdaderos; i ciertamente deven
ponerlas en practica.

41   En SANCHO PANZA se representa
la Simplicidad del Vulgo, que aunque conozca los errores, ciegamente los sigue. Pero para que la Simplicidad de Sancho no sea
enfadosa à los Letores, la hace Cervantes
naturalmente graciosa. Nadie definiò mejor
à Sancho Panza, que su Amo Don Quijote,
quando hablando con una Duquesa, dijo:
(e) *Vuestra grandeza imagine, que no tuvo*
Ca-

(y) *Tom. I. Cap.* 11. (z) *Tom. I. Cap.* 38.
(a) *Tom. II. Cap.* 6. (b) *Tom. II. Cap.* 16.
(c) *Tom. II. Cap.* 42. (d) *Tom. II. Cap.* 43.
(e) *Tom. II. Cap.* 30.

Cavallero Andante en el Mundo Escudero mas hablador, ni mas gracioso que Yo tengo. I en otra ocasion: (f) *Quiero que entiendan vuestras Señorìas, que Sancho Panza es uno de los mas graciosos Escuderos, que jamàs sirviò a Cavallero Andante. Tiene a veces unas simplicidades tan agudas, que el pensar si es simple, o agudo, causa no pequeño contento. Tiene malicias que le condenan por vellaco, i descuidos, que le confirman por bobo. Duda de todo, i creelo todo. Quando pienso que se và a despeñar de tonto, sale con unas discreciones, que le levantan al Cielo. Finalmente Yo no le trocaria con otro Escudero aunque me diessen de añadidura una Ciudad.* En prueva de la sencillez, i gracia de Sancho Panza, lease solo el cuento del Rebuzno. (g)

42   Siendo tales los principales Personages de èsta Historia, viene a suceder lo que en agena persona dijo Cervantes: (h) *Que los sucessos de Don Quijote, o se han de celebrar con admiracion, o con risa: i que Sancho es tal, (i) a cuyas gracias no ai ningunas que se le igualen.* I sin hablarnos por boca de otros, dijo en el fin de su primer Prologo. *Yo no quie-*

(f) *Tom. II. Cap.* 32. (g) *Tom. II. Cap.* 27. en el fin. (h) *Tom. II. Cap.* 44. (i) *Tom. II. Cap.* 58.

quiero encarecerte el servicio que te hago en
darte a conocer tan noble, i tan honrado Cavallero; pero quiero que me agradezcas el conocimiento que tendras del famoso SANCHO
PANZA su Escudero, en quien a mi parecer
te doi cifradas todas las gracias escuderiles,
que en la caterva de los Libros vanos de Cavallerias están esparcidas.

43	Para que la Historia de un Cavaliero
Andante no enfadasse a los Letores con la
uniformidad, o semejanza de los Sucessos: lo
qual acontecería, si unicamente se tratasse de
locas aventuras; ingirió Cervantes muchos
Episodios, donde los Sucessos son frequentes, nuevos, i verosimiles; los Razonamien-
tos, artificiosos, claros, i eficaces: los En-
redos, maravillosamente enmarañados: las
Salidas de ellos, faciles, naturales, i sobre
todo tan agradables, que dejan el animo sos-
segado, quedando mui quietos, i pacificos
aquellos afectos, que con singular industria,
i artificio se avian alborotado. I lo que mas
admira a los perspicaces Letores, es, que
todos estos Episodios, menos dos, *Las No-*
velas digo *Del Cautivo*, i *Del Curioso Im-*
pertinente, están entretegidos en el principal assunto de la Fabula, tan ingeniosamen-
te, que qual hermoso Tapiz, forman con
ella

ella una mifma tela, i hacen una labor mui
amena, i agradable.

44 Quando es mui havil el Artifice, nadie conoce mejor que èl la perfeccion de fus
Obras. Por eſſo decia el mifmo Cervantes,
hablando de fu Hiſtoria. (k) *Los Cuentos, i*
Epiſodios de ella, en parte no ſon menos agra-
dables, i artificioſos, i verdaderos, que la
mifma Hiſtoria.

45 Para hacer Cervantes fu Invencion
mucho mas verofimil, i plauſible, fingiò (l)
aver ſido el Autor de ella CIDE HAMETE
BENENGELI, Hiſtoriador Arabigo, natural de la Mancha. Fingiòle Manchego para
ſuponerle bien informado de las coſas de
Don Quijote. Es coſa mui gracioſa vèr como celebra Cervantes la excrupuloſa puntualidad de Cide Hamete en la Relacion de
las coſas aun mas minimas, como quando
hablando de Sancho Panza, maltratado a
garrotazos, dijo: (m) *Deſpidiendo treinta*
ayes, i ſeſenta ſuſpiros, i ciento i veinte pè-
ſetes, i reniegos de quien alli le avia traido,
ſe levantò. I quando dice de otro: (n) *Era*
uno de los ricos Arrieros de Arevalo, ſegun lo
dice el Autor de eſta Hiſtoria, que de eſte Ar-
riera

(k) *Tom. I. Cap.* 28. (l) *Tom. I. Cap.* 9. (m)
Tom. I. Cap. 15. (n) *Tom. I. Cap.* 16.

riero hace particular mencion, porque le cono-
cia mui bien : i aun quieren decir , que era algo pariente suyo. Fuera de que Cide Hamete
Benengeli fuè Historiador mui curioso, i mui
puntual en todas las cosas : i echase bien de
vèr , pues las que quedan referidas , con ser
tan minimas , i tan ràteras, no las quiso passar en silencio. De donde podran tomar egemplo los Historiadores graves , que nos cuentan
las acciones tan corta, i sucintamente , que
apenas nos llegan a los labios , dejandose en el
tintero , ya por descuido , ya por malicia , o
ignorancia , lo mas sustancial de la Obra. Bien
aya mil veces el Autor de *Tablante* , de *Rica-*
monte, i aquel del otro Libro donde se cuentan
los *Hechos del Conde Tomillas*, i con què puntualidad lo escriven todo! No hablò mas discretamente el mismo Luciano en sus dos Libros *De la verdadera Historia.*

46   En otra parte poniendo en practica
èsta misma puntualidad en referir las cosas
mui por menor , dice Cervantes en boca de
Benengeli : (o) *Entraron a Don Quijote en*
una Sala, desarmòle Sancho, quedò en valo-
nes, i en jubon de camuza, todo bisunto con
la mugre de las armas: el cuello era valona a
lo Estudiantil sin almidon, i sin randas: los
bor-

(o) Tom. II. Cap. 18.

borceguìes eran datilados, i encerados los za-
patos: ciñòse su buena espada, que pendìa de
un tahalì de Lobos marinos, que es opinion
que muchos años fue enfermo de los riñones:
cubriòse un herreruelo de buen paño pardo:
pero antes de todo con cinco calderos, o seis de
agua, que en la cantidad de los calderos ai al-
guna diferencia, se lavò cabeza, i rostro. Ni-
miedad sencilla, i graciosa! Verosimilitud
admirable, i sin igual! Exclame pues Cervantes, i con razon: (p) ,, Real, i verdade-
,, ramente todos los que gustan de semejan-
,, tes Historias como esta, deven de mostrarse
,, agradecidos a Cide Hamete su Autor pri-
,, mero, por la curiosidad que tuvo en con-
,, tarnos las seminimas de ella, sin dejar co-
,, sa, por menuda que fuesse, que no la sa-
,, casse a luz distintamente. Pinta los pensa-
,, mientos, descubre las imaginaciones, res-
,, ponde a las tacitas, aclara las dudas, re-
,, suelve los argumentos, finalmente los ato-
,, mos del mas curioso deseo manifiesta. O
,, Autor celeberrimo! O Don Quijote di-
,, choso! O Dulcinea famosa! O Sancho Pan-
,, za gracioso! Todos juntos, i cada uno de
,, por si, vivais siglos infinitos, para gusto, i
,, general passatiempo de los vivientes.

D

Fin-

(p) *Tom. II. Cap.* 40.

47   Fingiò Cervantes que el Autor de èsta Historia fuè Arabigo, (q) aludiendo en èsto a lo que muchos piensan, que los Arabes pegaron à los Españoles la aficion de Novelar. Es cierto que Aristoteles, (r) Cornuto, (s) i Prisciano (t) hicieron mencion de las Fabulas Libicas. Luciano añade (u) que entre los Arabes avia hombres empleados en explicar las Fabulas. Locman, a quien celebra el Alcoràn de Mahoma, es opinion mui valida que fuè Isopo, Fabulero insigne. Thomàs Erpenio fue el primero que tradujo sus Fabulas en Latin, Año 1625. Bien cierto es, que las de Isopo estàn acomodadas al genio de cada Nacion. Aun las que estàn en Griego no son las mismas, que escriviò Isopo. Fedro, que las tradujo en Latin, confiessa que las interpolò. (x) Yo las tengo en Español, impressas en Sevilla por Juan Cronberger, Año 1533. i estàn interpoladas, i añadidas estrañamente. No es maravilla pues, que los Arabes las ayan acomodado a su genio. I què mayor Fabula que el Alcoràn de Mahoma? Este se escriviò a manera de Novela para que se aprendiesse con mas facilidad, i se olvidasse

(q) *Tom. I. Cap. 9.* (r) *In Retoricis.* (s) *De Deorum Natura.* (t) *In Praexercitamentis.* (u) *In Macrobiis.* (x) *Initio Lib. 2.*

daſſe menos. Las Vidas de los Patriarcas,
Profetas, i Apoſtoles, que tienen eſcritas los
Mahometanos, eſtan llenas de Fabulas. Algunos de ſus Filoſofos, que intentaron explicar los ſoñados Miſterios de ſu Dotrina,
formaron unos Libros a manera de Novelas.
Deſte genero es la Hiſtoria de Hayo, hijo de
Yocdan, de quien contò Avicena grandiſſi-
mas patrañas. Leon Africano, i Luis del
Marmol, como teſtigos de viſta, dicen, que
los Arabes tienen tanta aficion a las Novelas, que celebran las hazañas de ſu Buhalul
en proſa, i verſo, como los nueſtros las de
Reinaldos de Montalvan, i Rolando el Enamorado. I ſin ſalir de Eſpaña, los que llamamos *Cuentos de Viejas*, ſon unas breves Novelas, cuyos aſſuntos, que de ordinario ſon
Encantamientos, i apariciones de horribiliſ-
ſimos Negros para cauſar eſpanto a los Niños, haciendolos aſſi vilmente medroſos;
eſtan manifeſtando ſer invencion Arabiga.

48   Prueva de eſto es tambien que los
primeros Libros de Cavallerìas ſe eſcrivie-
ron en Eſpaña en tiempo en que los Arabes
aun eſtavan en ella. I aſſi entiendo que
eſcrivia traſcordado Lope de Vega, quando
dijo : (y) *Llamavan a las Novelas, Cuentos.*

D 2   *Eſ-*

(y) *En la Dedicatoria de ſu primera Novela.*

Estos se sabian de memoria, i nunca, que Yo me acuerde, los vì escritos. Ailos escritos, i los avia leído Lope en los mismos Libros de Cavallerias; pero no se acordava : quiza porque los que le avrian contado, no serian los mismos. Aunque Yo no niego que muchos estan hoi unicamente encontendados a la tradicion de los ociosos habladores.

49   Tenemos Manchego, i Arabe, al Autor de èsta Historia escrita en Arabigo. Añade Cervantes, siguiendo el hilo de su ficcion, que mandò traducirla de Arabigo en Castellano a un Morisco Aljamado. (z) Aludiendo a èsto introdujo al Bachiller Sanson Carrasco, que hablando con Don Quijote, dijo assi: (a) *Bien aya Cide Hamete Benengeli, que la Historia de vuestras grandezas dejò escrita, i rebien aya el curioso* (b) *que tuvo cuidado de hacerlas traducir de Arabigo en nuestro vulgar Castellano para universal entretenimiento de las gentes.*

50   I para que se entendiesse que el Traductor tambien hacia sus Criticas ; en abono suyo añadiò èsto Cervantes : (c) *Llegando a escrivir el Traductor de esta Historia èste*
                                             Quinto

(z) *Tom. I. Cap. 9.* (a) *Tom. II. Cap. 3.* (b) *Miguèl de Cervantes Saavedra.* (c) *Tom. II. Cap. 5.*

Quinto Capitulo dice, que le tiene por apocrifo; porque en èl habla Sancho Panza con otro estilo del que se podìa prometer de su corto ingenio; i dice cosas tan sutiles, que no tiene por possible, que èl las supiesse; pero que no quiso dejar de traducillo, por cumplir con lo que a su Oficio devìa, i assi prosiguiò, diciendo, &c. Gran documento para los Traductores, que no saben que su Oficio es como el de los Retratistas, que no hacen su dever, si sacan un retrato mas perfeto que el original. Hablo de las cosas: que en lo toca al estilo, cada qual usa de sus colores, i èstos deven ser proporcionados a lo que se quiere representar. Siendo èsto assi, no sè còmo disculpar a Cervantes, el qual hace que en otra parte falte el Traductor a su acostumbrada puntualidad, diciendo assi: (d) *Aqui pinta el Autor todas las circunstancias de la Casa de Don Diego, pintandonos en ellas lo que contiene una Casa de un Cavallero Labrador, i rico; pero al Traductor de esta Historia le pareciò passar estas, i otras semejantes menudencias en silencio, porque no venian bien con el proposito principal de la Historia; la qual mas tiene su fuerza en la verdad, que en las frias Digres-*

D 3   *sio-*

(d) *Tom. II. Cap.* 16.

siones. Por ventura dirèmos que lo que es reprehensión del Traductor, es tácita alabanza de la puntualidad de Cervantes? O que con esto quiso reprovar la enfadosa prolijidad de muchos Escritores, que desviandose de su principal assunto, se paran en hacer Descripciones de Palacios, i de semejantes cosas? Uno, i otro es possible. Lo cierto es que la *Novela del verdadero, i perfeto amor*, atribuida a Athenagoras, es desagradable por las frequentes descripciones de Palacios, hechas con tan sobresaliente arte, i esta Vitruviana, que parece que el que las hizo no podia dissimular ser Arquitecto, pues descrivia los Palacios como Artífice, no como Novelista. De donde infirió el sagacissimo Huet, que el Autor de aquella Novela, no fuè Athenagoras, como se supone; sino Guillermo Filandro, ilustrador insigne de Marco Vitruvio; el qual quiso en aquella Obra lisongear el genio de su gran favorecedor el Cardenal Gregorio Armanac, mui amigo de la Arquitectura. Ni podia Athenagoras pintar tan al vivo, como pinta, las costumbres modernas. I no fuè difícil persuadir a Fumèo; publicador de la *Novela*, que el original Griego que le enseñaron, era verdadero: pero devia èl averle
exa-

examinado mejor para que no creyeſſemos
que ſu Traducion es ſupueſta. Fumèo ſe por-
tò mui al contrario de aquellos, que quando
publican algunos Libros, que ſaben ellos
ſer falſos, ponen gran conato en perſuadir
ſu legitimidad, diciendo averlos ſacado de
Manuſcritos mui antiguos de letra apenas
legible, carcomidos del tiempo; i que eſtavan en èſta, o en la otra Librerìa (donde
nadie los viò); que pudieron lograrlos por
medio de uno que ya no vive. I eſtos, i ſemejantes artificios, ſon los que engañan a
los ſencillos Letores: i los que nos repreſen-
ta Cervantes, (e) fingiendo que el Autor de
èſta Obra fuè Hiſtoriador Arabigo, i Manchego, el Traductor Moriſco, i la continuacion de la Hiſtoria, por buena dicha halla-
da, i comprada de un Muchacho, que ven-
dìa unos Cartapacios, i Papeles viejos en el
Alcanà de Toledo. Pudo ſer arbitrario fingir en Toledo tal hallazgo. Pero a tiempo
que Cervantes decìa èſto, corrìa mui valido
entre la gente credula aver en Toledo quien
tenìa una *Hiſtoria Univerſal*, donde todos
hallavan lo que buſcavan, i aun lo que querìan. El Autor de ella ſe ſuponìa graviſſimo.
I en efeto aquella Hiſtoria que tratava de

D 4   to-

(e) *Tom. I. Cap. 9.*

todas las Cosas , i otras muchas mas ; èsto
es , de quanto querìan los que preguntavan
algo al que soponìan Thesorero de la Erudicion Eclesiastica , era una Fabula preñada de
muchas Fabulas , que con toda propriedad
se llamarìa en Francès con el nombre de *Ro-*
man , i en buen Romance , *Cunto de Cuen-*
tos los quales fueron tan bien recivìdos, que
salieron varias *Continuaciones* , no menos
aplaudidas que las de los Libros de Amadìs;
i lo que es mucho peor , mas leìdas , i mas
creìdas , i aun no desterradas , reservando
Dios èsta glòria a quien se digne dar tantas
fuerzas , e industria , que sea capaz de enves-
tir, i vencer a todo el Vulgo de una Nacion.
Pero èste no es assunto propio de este lugar.
Lo serà de otro , i en otra ocasion , si Dios
quiere.

51   Ultimamente por no incurrir Cervantes en lo mismo que reprehendia de la
vanidad de los Libros Cavallerescos, i acor-
dandose del fin que se avìa propuesto de hacer despreciables aquellas patrañas; hizo
que Don Quijote de la Mancha , que como
Loco avìa sido llevado a su casa , encerrado
en una Carreta , como si fuesse en una jaula;
bolviesse luego en su juicio , i confessasse llana, i Christianamente aver sido disparate todo

do quanto hizo , i obrò por el deseo de imitar a aquellos Cavalleros Andantes , pura-
mente imaginarios.

52 Segun lo dicho ya se vè quan admirable es la Invencion de esta grande Obra.
No lo es menos la Disposicion de ella ; pues
las Imagenes de las Personas de que se trata, tienen la devida proporcion , i cada una
ocupa el lugar que le toca : los Sucessos estàn
enlazados con tanto artificio , que los unos
llaman a los otros , i todos llevan suspensa,
i gustosamente entretenida la atencion del
Letor.

53 En orden al Estilo , ojalà que el que
hoi se usa en los assuntos mas graves , fuesse
tal. En èl se vèn bien distinguidos , i apro-
piados los Generos de hablar. Solo se valiò
Cervantes de voces antiguas para representar mejor las cosas antiguas. Son mui pocas
las que introdujo nuevamente , pidiendolo
la necessidad. Hizo vèr que la Lengua Española no necesita de mendigar voces Estrangeras para explicarse qualquiera en el trato
comun. En suma , el estilo de Cervantes en
esta HISTORIA DE DON QUIJOTE , es
puro , natural , bien colocado , suave , i tan
emendado , que en poquissimos Escritores
Españoles se hallarà tan exacto. De suerte
que

que es uno de los mejores Textos de la Lengua Eſpañola. Bien ſatisfecho de èſto eſtava el miſmo Cervantes, pues dirigiendo el Tomo Segundo de la Hiſtoria de Don Quijote al Conde de Lemos, Don Pedro Fernandez de Caſtro, con inimitable gracia, con la qual ſupo encubrir las propias alabanzas, le dijo aſsi: *Embiando a V. Exc. los dias paſſados mis Comedias, antes impreſſas, que repreſentadas, ſi bien me acuerdo, dige, que Don Quijote quedava calzadas las eſpuelas para ir a vèſar las manos a V. Exc. i ahora digo, que ſe las ha calzado, i ſe ha pueſto en camino; i ſi èl allà llega, me parece, que avrè hecho algun ſervicio a V. Exc. porque es mucha la prieſſa que de infinitas partes me dan a que le embie, para quitar el hamago, i la nauſea que ha cauſado otro Don Quijote, que con nombre de Segunda Parte ſe ha disfrazado, i corrido por el Orbe. I el que mas ha moſtrado deſearle, ha ſido el Grande Emperador de la China, pues en Lengua Chineſca, avrà un mes, que me eſcriviò una Carta, con un propio, pidiendome, o por mejor decir, ſuplicandome, ſe le embiaſſe: porque queria fundar un Colegio, donde ſe leyeſſe la Lengua Caſtellana, i queria que el Libro que ſe leyeſſe, fueſ-ſe el de la Hiſtoria de Don Quijote. Juntamen-*

mente con èsto me decìa, que fuesse Yo a ser
el Retor del tal Colegio. Preguntele al porta-
dor, si su Magestad le avìa dado para mi alguna ayuda de costa. Respondiòme, que ni por
pensamiento. Pues Hermano, le respondì Yo,
Vos os podeis bolver a vuestra China a las
diez, o a las veinte, o a las que venis despa-
chado: porque Yo no estoi con salud para po-
nerme en tan largo viage. Ademàs, que sobre
estar enfermo, estoi mui sin dineros, i Emperador, por Emperador, i Monarca, por Monarca, en Napoles tengo al gran Conde de Lemos, que sin tantos titulillos de Colegios, ni
Retorias, me sustenta, me ampara, i hace
mas merced que la que Yo acierto a desear.
Con èsto le despedì, i con èsto me despido, &c.
De Madrid ultimo de Octubre de 1615.

54   Examinada ya por sus partes la perfeccion de èsta Obra; i vista tambien la buena distribucion, i enlaze de todas ellas; facilmente puede pensarse quan bien recibida
deviò ser èsta insigne Obra. Pero como saliò
en dos Volumenes, i cada uno de ellos en
diferente tiempo; veamos como se recibieron; què censuras padecieron; i qual es la
que merecen.

55   El Primer Tomo saliò en Madrid,
impresso por Juan de la Cuesta, Año 1605.

e

en 4. dirigido al Duque de Bejar : de cuya
proteccion se congratulò Cervantes en unos
Versos, que escriviò al Libro de Don Quijote de la Mancha, Urganda la desconocida.

56   Una de las mayores pruevas de la
celebridad de algun Libro, es el facil des-
pacho de èl. Fuè tal el que tuvo el Primer
Tomo de esta Historia de Don Quijote, que
antes que Cervantes publicasse el Segundo,
dijo en boca de Sanson Carrasco : (f) *Tengo
para mi, que el dia de hoi estàn impressos mas
de doce mil Libros de la tal Historia. Si no digalo Portugal, Barcelona, i Valencia, donde
se ha impresso. I aun ai fama que se està im-
primiendo en Amberes, i a mi se me trasluce,
que no ha de aver Nacion, ni Lengua donde no
se traduzga.* Assi ha sucedido por cierto : de
suerte, que solamente de las Traduciones se
pudiera formar una larga Relacion. En otra
parte introduce a Don Quijote, exagerando
el numero de los Libros impressos de su Historia, de esta suerte : (g) *He merecido andar
ya en estampa, en casi todas, o las mas Naciones del Mundo. Treinta mil Volumenes se han
impresso de mi Historia, i lleva camino de imprimirse treinta mil veces de millares, si el
Cielo no lo remedia.* En otra parte la Duquesa

(f) *Tom.II.Cap.*3. (g) *Tom.II.Cap.*16.

sa (cuyos Estados hasta ahora no se ha podido averiguar quales son) hablando de la
Historia de Don Quijote , dice: (h) *De pocos*
dias a èsta parte ha salido a la luz del Mun-
do , con general aplauso de las Gentes. Mucho
mejor se explicò el Bachiller Sanson Carrasco , hablando de èsta Historia con el mismo
Don Quijote. (i) *Es tan clara (dijo) que no*
ai cosa que dificultar en ella. Los Niños la
manosean , los Mozos la leen , los Hombres la
entienden, i los Viejos la celebran ; y finalmen-
te es tan trillada, i tan leìda, i tan sabida de
todo genero de Gentes , que apenas han visto
algun Rocin flaco , quando dicen , allì và Ro-
cinante. I los que mas se han dado a su letura,
son los Pages. No ai antecamara de Señor,
donde no se halle un Don Quijote. Unos le to-
man , si otros le dejan : èstos le envisten , i
aquellos le piden. Finalmente la tal Historia
es del mas gustoso , i menos perjudicial entre-
tenimiento que hasta agora se aya visto: por-
que en toda ella no se descubre , ni por seme-
jas , una palabra deshonesta, ni un pensamien-
to menos que Catholico. Mucha razon pues
tuvo Sancho Panza para hacer èsta Profecia.
(k) *Yo apostarè, dijo Sancho, que antes de mu-*
cho

(h) *Tom. II. Cap. 32.* (i) *Tom. II. Cap. 3.*
(k) *Tom. II. Cap. 71.*

cho tiempo no ha de aver Bodegon , *Venta*, ni
Mesòn , o *Tienda de Barbero* , donde no ande
pintada la *Historia* de nuestras bazañas. Assi
vemos que sucede, i mucho mas: pues no solo
en los Mesones , i Casas particulares se hallan los Libros de Don Quijote ; sino en las
mas escogidas Librerias, haciendo sus Due-
ños una grande ostentacion de esta Historia,
si por ventura logran tenerla de las primeras
Impressiones. Los mas diestros Burilistas,
Pintores, Tapiceros , i Escultores, estàn empleados en representar esta Historia, para
adornar con sus Figuras las Casas, i Palacios
de los grandes Señores, i mayores Principes.
Aun viviendo Cervantes , consiguiò la gloria de que su Obra tuviesse la acetacion
Real. Estava el Rei Don Phelipe , Tercero
de este nombre , en un balcon de su Palacio
de Madrid , i espaciando la vista observò,
que un Estudiante junto al Rio de Manzana-
res leia un Libro , i de quando en quando
interrumpìa la leccion , i se dava en la frente
grandes palmadas, acompañadas de extraor-
dinarios movimientos de placer , i alegria; i
dijo el Rei : *Aquel Estudiante* , *o està fuera*
de sì , o lee la Historia de Don Quijote. I luego se supo que la leìa ; porque los Palacie-
gos suelen interessarse mucho en ganar las al-
bri-

bricias de los aciertos de sus Amos en lo que
poco importa. Mas ninguno de ellos solici-
tò a Cervantes una moderada pension, para
que con ella pudiesse entrener su vida. I por
esso no sè Yo como entienda aquella Parabola del Emperador de la China. Lo cierto
es, que Cervantes mientras viviò, deviò
mucho a los Estrangeros, i mui poco a los
Españoles. Aquellos le alabaron, i honraron
sin tassa, ni medida. Estos le despreciaron, i
aun le ajaron con Satiras privadas, i pùblicas.

57   Porque no quède èsta verdad a la
mera cortesìa de los Letores, produzgamos
las pruevas. El Licenciado Marquez Torres,
en la Aprovacion que diò al Segundo Tomo
de la Historia de Don Quijote; despues de
una justissima Censura contra los perversos
Libros de su tiempo, dice assi: *Bien diferen-*
te han sentido de los Escritos de Miguèl de
Cervantes, assi nuestra Nacion, como las es-
trañas; pues como a milagro desean vèr el Au-
tor de Libros, que con general aplauso, assi
por su decoro, i decencia, como por la suavidad,
i blandura de sus discursos, han recibido, Es-
paña, Francia, Italia, Alemania, i Flandes.
Certifico con verdad, que en 25. de Febrero
de este Año de 615. aviendo ido el Illmo. Se-
ñor

ñor Don *Bernardo de Sandoval i Rojas*, Cardenal *Arzobispo de Toledo*, mi Señor, a pagar la visita que a su Illma. hizo el Emba-
dor de *Francia*, que vino a tratar cosas tocan-
tes a los *Casamientos de sus Principes*, i los
de *España*; muchos Cavalleros *Franceses* de
los que vinieron acompañando al Embajador,
tan corteses, como entendidos, i amigos de
buenas Letras, se llegaron a mi, i a otros Ca-
pellanes del Cardenal mi Señor, deseosos de
saver què Libros de ingenio andavan mas va-
lidos: i tocando acaso en èste, que Yo estava
censurando, apenas oyeron el nombre de Miguèl de *Cervantes* quando se comenzaron a
hacer lenguas, encareciendo la estimacion, en
que assi en *Francia*, como en los Reinos sus
confinantes se tenian sus Obras, LA GALA-
TEA, que alguno dellos tiene casi de memoria,
LA PRIMERA PARTE de esta, i las NO-
VELAS. Fueron tantos sus encarecimientos,
que me ofrecì a llevarlos a que viessen el Autor de ellas, que estimaron con mil demonstra-
ciones de vivos deseos. Preguntaronme mui por
menor su edad, su profession, calidad, i cantidad. Hallème obligado a decir, que era Viejo, Soldado, Hidalgo, i Pobre. A que uno respondiò èstas formales palabras: Pues a tal
hombre no le tiene *España* mui rico, i sustén-
ta-

tado del Erario pùblico? Acudiò otro de aquellos Cavalleros con èste pensamiento, i con
mucha agudeza, i dijo: Si necessidad le ha de
obligar a escrivir, plega a Dios que nunca
tenga abundancia, para que con sus Obras siendo el pobre, haga rico a todo el Mundo. Bien
creo, que èsta (para Censura un poco larga)
alguno dirà, que toca los limites de lisongero
elogio; mas la verdad de lo que cortamente digo, deshace en el Critico la sospecha, i en mi el
cuidado. Ademàs, que el dia de hoi no se lison-
gea a quien no tiene con que cebar el pico del
Adulador, que aunque afectuosa, i falsamente
dice de burlas, pretende ser remunerado de
veras. Pensarà el Letor que quien dijo esto,
fuè el Licenciado Francisco Màrquez Torres;
no fuè sino el mismo Miguèl de Cervantes
Saavedra: porque el estilo del Licenciado
Màrquez Torres es metaforico, afectadillo,
i pedantesco; como lo manifiestan los Discursos Consolatorios, que escriviò a Don Christoval de Sandoval i Rojas, Duque de Uceda,
en la muerte de Don Bernardo de Sandoval i
Rojas, su hijo, primer Marquès de Belmonte;
i al contrario el estilo de la Aprobacion, es
puro, natural, i cortesano, i tan parecido en
todo al de Cervantes, que no ai cosa en èl
que le distinga. El Licenciado Màrquez era

E   Ca-

Capellan, i Maestro de Pages de Don Bernardo Sandoval i Rojas, Cardenal, Arzobispo de Toledo, Inquisidor General; i Cervantes era mui favorecido del mismo. (l) Con que ciertamente eran entrambos amigos.

58   Supuesta la amistad, no era mucho, que usasse Cervantes de semejante libertad. Contentese pues el Licenciado Marquez Torres, con que Cervantes le hizo participe de la gloria de su estilo. I veamos què moviò a Cervantes a quèrer hablar, como dicen, por boca de ganso. No fuè otro su designio, sino manifestar la idèa de su Obra, la estimacion de ella, i de su Autor en las Naciones estrañas, i su desvalimiento en la propia.

59   Ya hemos visto estas dos ultimas cosas; veamos ahora qual dice que es el fin de su Obra: còmo dice que està escrita, i como no està; que todo esto contiene la Aprobacion de este Libro, igual en todo al primero, atendida la dificultad que tiene la continuacion de una ficcion, tan perfeta, que ya pudiera tenerse por felizmente acabada. *No hallò* (dice) *en èl cosa indigna de un Christiano zeloso, ni que disuene de la decencia debida a buen*

(l)   *Veaso el Prologo del Segundo Tomo de Don Quijote.*

buen exemplo, ni virtudes morales ; antes mucha erudicion , i aprovechamiento , assi en la
continencia de su bien seguido assunto, para
extirpar los vanos, i mentirosos Libros de Cavallerìas , cuyo contagio avia cundido mas de
lo que fuera justo : como en la lisura del Lenguage Castellano, no adulterado con enfadosa,
i estudiada afectacion (vicio con razon aborre-
cido de hombres cuerdos) i en la correccion de
vicios , que generalmente toca , ocasionado de
sus agudos discursos; guarda con tanta cordura las leyes de la reprehension Christiana, que
aquel que fuere tocado de la enfermedad que
pretende curar; en lo dulce, i sabroso de sus medicinas gustosamente avrà bevido (quando
menos lo imagine) sin empacho, ni asco alguno,
lo provechoso de la detestacion de su vicio; con
que se hallarà (que es lo más dificil de conse-
guirse) gustoso, i reprehendido. Ha avido muchos, que por no aver sabido templar, ni mez-
clar aproposito lo util con lo dulce , han dado
con todo su molesto trabajo en tierra ; pues no
pudiendo imitar a Diogenes en lo Filosofo, i
Docto, atrevida (por no decir licenciosa, i des-
alumbradamente) le pretenden imitar en lo
Cinico , entregandose a maldicientes , inven-
tando casos que no passaron, para hacer capàz
el vicio que tocan de su aspera reprehension; i

E 2   pon

por ventura descubren caminos para seguirle,
hasta entonces ignorados: con que vienen a quedar, si no Reprehensores, a lo menos Maestros
dèl. Hacense odiosos a los bien entendidos; con
el Pueblo pierden el credito (si alguno tuvieron) por admitir sus escritos; i los vicios, que
arrojada, e imprudentemente quisieron corre-
gir, quedan en mui peor estado que antes; que
no todas las postemas a un mismo tiempo estàn
dispuestas para admitir las recetas, o caute-
rios: antes algunos mucho mejor reciben las
blandas, i suaves medicinas, con cuya aplicacion el atentado, i docto Medico consigue el fin
de resolverlas, termino que muchas veces es
mejor, que no el que se alcanza con el rigor del
hierro. Censura digna por cierto del buen
juicio, i de la moderacion de animo de Miguèl de Cervantes.

60   Mui diferentes eran las que le hacìan
sus contrarios, dejandose llevar de su daña-
da intencion, i maledicencia. Unas, como
dige, fueron privadas; otras pùblicas. Pero
tales, que el mismo contra quien se dirigie-
ron, hizo alarde de contarlas. *Estando Yo*
(dice) (m) *en Valladolid, llevaron una Carta
a mi casa para mi, con un real de porte; reci-
biòla, i pagò el porte una sobrina mia, que
                                                    nun-*

(m) *En la Adiunta al Viage del Parnaso;*

nunca ella le pagàra; pero diòme por difculpa,
que muchas veces me avia oìdo decir , que en
tres cofas era bien gaftado el dinero: en dàr li-
mofna, en pagar al buen *Medico*, i en el porte de las Cartas, ora fean de amigos , o de enemigos ; que las de los amigos avifan , i de las
de los enemigos fe puede tomar algun indicio
de fus penfamientos. Dieronmela , i venia en
ella un *Soneto malo* , defmayado , fin garvo,
ni agudeza alguna, diciendo mal de *Don Qui-*
jote, i de lo que me pesò fuè del real; i propufe
defde entonces de no tomar Carta con porte.

61   Mas fentido fe manifeftò Cervantes
con otro enemigo de fu *Don Quijote* ; pues
le defcriviò tan al vivo , que bien fe echa de
vèr la fuerza de fu indignacion. Solo fe fabe,
que era Fraile; pero no quien, ni de què Religion ; i affi bien podemos copiar aquì fu
pintura. (n) *La Duquefa, i el Duque falieron*
a la puerta de la fala a recibirle (a Don Qui-
jote) i con ellos un grave Eclefiaftico, de eftos
que goviernan las Cafas de los Principes:de ef-
tos que, como no nacen Principes, no aciertan
a enfeñar como lo han de fer los que lo fon: de
eftos que quieren que la grandeza de los Gran-
des fe mida con la eftrecheza de fus animos:
de eftos que queriendo moftrar à los que ellos

E 3   *go-*

(n) *Tom. II. cap. 31.*

goviernan a ser limitados, los hacen ser mise-
rables. De estos tales digo que debia de ser el
grave Religioso, que con los Duques saliò a
recibir à Don Quijote. El recibimiento del
dicho Fraile, i sacudimiento de Don Quijote, mejor se leerà en el original. (o) I dejando nosotros las Censuras ocultas, hablèmos
ahora de las descubiertas.

62   Publicado, como queda dicho; tan
bien recivido, i diversas veces impresso el
Primer Tomo de la Historia de Don Quijote de la Mancha, no faltò en España, quien
embidioso de la gloria de Miguèl de Cervantes Saavedra, i codicioso de la ganancia
de sus Libros, aun viviendo èl, se atreviò a
escrivir, i publicar una Continuacion de
aquella Historia inimitable. El titulo que diò
a su Obra fuè este.

63   *Segundo Tomo del Ingenioso Hidalgo
Don Quijote de la Mancha, que contiene su
Tercera Salida: i es la Quinta Parte de sus
Aventuras, compuesto por el Licenciado Alon-
so Fernandez de Avellaneda, natural de la
Villa de Tordesillas. Al Alcalde, Regidores, i
Hidalgos de la noble Villa de Argamasilla,
Patria feliz del Hidalgo Cavallero Don Qui-
jote de la Mancha. Con licencia, en Tarrago-
na.*

na en casa de Felipe Roberto , Año 1614. *en octavo.*

64 Ni el Autor de esta Obra se llamava
Alonso Fernandez de Avellaneda, ni fuè natural de Tordesillas , cèlebre Villa de Castilla la Vieja , sino que fuè Aragonès ; pues
Miguèl de Cervantes Saavedra , a quien de-
vemos suponer bien informado, assi le nombrò en varias ocasiones. En una llamò a esta
Continuacion (p) *Historia del Aragonès re-
cien impressa.* En otra, hablando de ella, dijo : (q) *Esta es la Segunda Parte de Don Quijote de la Mancha, no compuesta por Cide Hamete su primer Autor , sino por un Aragonès,
que èl dice ser natural de Tordesillas.* Aunque Cervantes pues en alguna parte (r) le
llamò *Autor Tordesillesco,* solo fuè por hablar
en suposicion de la ficcion de su Patria; i quizà para tratarle con apodo equivoco à Rocin Tordillo ; como si dixera : *Autor Arroci-
nado.* En suposicion pues de que la Obra se
finge averse escrito en Tordesillas, i de averse impresso en Tarragona, como lo manifiestan la *Aprobacion* del Libro , i *Licencia* para
imprimirle ; se entenderà facilmente lo que
E 4 di-

(p) *Tom. II. cap.* 61. (q) *Tom. II.
cap.* 70. (r) *En el fin del Tomo Segundo.*

dijo Cervantes en el *Principio* de su discretissimo *Prologo* del *Segundo Tomo*, aludiendo a la ficcion de la Patria, i realidad de la
impression en Tarragona. Sus palabras son
estas. *Valame Dios, i con quanta gana deves*
de estàr esperando ahora, Lector iluftre, (o
qualquier plebeyo) efte Prologo, creyendo ha-
llar en èl venganzas, riñas, y vituperios del
Autor del Segundo Don Quijote, digo de aquel
que dicen que se engendrò en Tordesillas, i na-
ciò en Tarragona: pues en verdad que no te he
de dar efte contento; que puefto que los agra-
vios despiertan la colera en los mas humildes
pechos, en el mio ha de padecer excepcion efta
regla. Quisieras tu que le diera del afno, del
mentecato, i del atrevido; pero no me paffa
por el penfamiento. Caftiguele fu pecado, con
fu pan se lo coma, i alla se lo aya. I poco mas
adelante. Pareceme que me dices que ando muy
limitado, i que me contengo mucho en los ter-
minos de mi modeftia, fabiendo que no se ha
de añadir afliccion al afligido, i que la que de-
ve de tener efte Señor fin duda es Grande, pues
no ofa parecer a campo abierto, i al cielo claro,
encubriendo fu nombre, fingiendo fu Patria,
como fi huviera hecho alguna traicion de lesa
Mageftad. Aquellas palabras *Señor, i Grande,*
son misteriosas para mi: i sea lo que fuere, Yo
es-

estoi persuadido a que el enemigo de Cervantes era mui poderoso, quando un Escritor, Soldado, animoso, i diestro en el manejo de la pluma, i de la espada, no se atreviò a nombrarle. Si ya no es que fuesse hombre tan vil, i despreciable, que ni aun quiso que se supiesse su nombre, para que con la misma infamia no lograsse alguna fama.

65   Don Nicolas Antonio juzgò que este Autor no tenia genio para continuar tal Obra. Esto es poco. Ni tenia genio, ni ingenio para tan dificil empressa No tenia genio, porque èste supone ingenio; pues como decia la Duquesa, que tanto honrò a Don Quijote, (f) *Las gracias, i los donaires no assientan sobre ingenios torpes.* I tal era el del Autor Aragonès, cuya leyenda es indigna de qualquier Letor, que se tenga por honesto. Escrivir pues con gracia, pide un natural mui agudo, i mui discreto, de que estava mui ageno el dicho Aragonès. Ni aun le tenia para inventar con alguna apatiencia de verosimilitud; pues aviendo intentado continuar la Historia de Don Quijote, devia aver imitado el caracter de las Personas, que fingiò Cervantes, guardando siempre el decoro, que es la mayor perfeccion del Arte.

Ul

(f)   *Tom. II. cap. 30.*

Ultimamente su dotrina es pedantesca; i su
estilo lleno de impropiedades, solecismos, i
barbarismos, duro, i desapacible: i en suma
digno del desprecio que ha tenido, pues se ha
consumido en usos viles; i unicamente el
aver llegado a ser raro, pudo darle estimacion; pues aviendose reimpresso en Madrid,
despues de ciento i diez i ocho años, esto es,
en el de 1732. no ai hombre de buen gusto,
que haga aprecio dèl. El año 1704. se imprimiò en Paris una que se llama *Traduccion
de esta Obra en Lengua Francesa*: pero se
observa el orden invertido, muchas cosas
quitadas, i muchas mas añadidas; i estas han
podido grangear algun credito à su primero
Autor.

66   Este supo ocultar su nombre; pero
no su maledicencia, i codicia; pues se atreviò a hablar en su Prologo con tanta inso-
lencia como esta: *Se prosigue* (esta Historia
de Don Quijote de la Mancha) *con la autoridad que èl* (Miguèl de Cervantes Saavedra) *la
comenzò, i con la copia de fieles Relaciones que
a su mano llegaron*, (i digo mano, pues confiessa de sì que tiene sola una, i hablando tanto de todos, hemos de decir dèl, que, como Soldado tan viejo en años, quanto mozo en brios,
tiene mas lengua que manos) *pero quèdese de*
mì

mi trabajo por la ganancia que le quito de su
Segunda Parte. No hagamos caso de la Gramatica de este Escritorcillo digno de la feru-
la. Oigamos otra reprehension de la inculpa-
ble vejèz de Miguèl de Cervantes, de su
condicion, pobreza, i persecuciones; i tengan paciencia los Letores en sufrir las necias
habladurias de un ridiculo pedante, que por
tal juzgo al que dijo esto: *I pues Miguèl de*
Cervantes es ya de viejo como el Castillo de
San Cervantes, i por los años tan mal conten-
tadizo, que todo, i todos le enfadan, i por ello
està tan falto de amigos, que quando quisiera
adornar sus Libros con Sonetos campanudos,
avia de abijarlos (como èl dice) al Preste Juan
de las Indias, o al Emperador de Trapisonda,
por no hallar Titulo quizàs en España, que
no se ofendiera de que tomàra su nombre en la
boca con permitir tantos, bajan los suyos en los
principios de los Libros del Autor de quien
murmura; i plegue a Dios aun dège ahora que
se ha acogido a la Iglesia, i Sagrado. Contete-
se con su GALATEA, i COMEDIAS en prosa,
que esso son las mas de sus NOVELAS. No
nos canse. Santo Thomàs en la 2.2. q. 36. enseña, que la embidia es tristeza del bien, i au-
mento ageno. Dotrina que la tomò de San Juan
Damasceno. A este vicio dà por *Hijos* S. Gre-

go

gorio en el lib. 31. cap. 31. *de la Exposicion Moral que hizo à la Historia del Santo Job, aludio, susurracion, detraccion del proximo, gozo de sus pesares, y pesar de sus buenas dichas: i bien se llama este pecado Invidia* a non videndo, quia invidus non potest videre bona aliorum: *efectos todos tan infernales, como su causa; i tan contrarios à los de la* Caridad Christiana, *de quien dijo San Pablo,* 1. Corinth. 13. Charitas patiens est, benigna est, non æmulatur, non agit perperam: non inflatur, non est ambitiosa, congaudet veritati, &c. *Pero disculpan los hierros de su Primera Parte en esta materia el averse escrito entre los de una Carcel. I assi no pudo dejar de salir tiznada dellos, ni salir menos que quejosa, murmuradora, impaciente, i colerica, qual lo estàn los encarcelados.*

67   Si preguntamos a este hombre què le moviò a decir tan grandes desverguenzas, en todo su Prologo no hallarèmos otra causa, sino que èl, i Lope de Vega fueron reprehendidos en la Historia de Don Quijote. Sus palabras son estas: *No podrà por lo menos dejar de confessar tenemos ambos un fin, que es desterrar la perniciosa licion de los vanos Libros de Cavallerìas, tan ordinaria en gente rustica, i ociosa; si bien en los medios diferen-*
cia-

ciamos; pues èl tomò por tales el ofender a mi, i particularmente a quien tan justamente celebran las Naciones mas estrangeras, (este es Lope de Vega) i la nuestra deve tanto, por aver entretenido honestissima, i fecundamente tantos años los Theatros de España con estupendas, e inumerables Comedias, con el rigor del Arte que pide el Mundo, i con la seguridad, i limpieza que de un Ministro del Santo Oficio se deve esperar. Fuè Lope de Vega Familiar del Santo Oficio. (t)

68 Es mui propio de ignorantes, quando se vèn reprehendidos, fundar el agravio que imaginan averseles hecho reprehendiendolos, en la Censura hecha a otros grandes Hombres, para que los apassionados a estos se irriten contra el Censor. Lope de Vega era en su tiempo, i aun el dia de hoi, el Principe de la Comica Española. Censurar un Escritor tan cèlebre, era como poner las manos en un hombre sacrosanto.

69 Pero Lope que sabìa que era de carne i huesso, como los demàs Escritores; como cuerdo agradecìa las Censuras hechas con verdad i buena intencion, i procurava aprovecharse del conocimiento de sus errores. En prueva de èsto baste el mismo sucesso que

(t) *D. Nic. Antonius in* Biblioth. Hisp.

que diò ocasion a que el indiscreto Autor
Aragonès se quejasse tan fuera de proposito,
i maldigesse tanto.

70   Reprehendieron muchos a Lope de
Vega, porque componìa Comedias, no ajus-
tadas a los preceptos del Arte. Tengo por
cierto que Cervantes fuè uno de sus mas
fuertes Censores. Procurarìa Lope discul-
parse como mejor podìa, quiero decir, atribuyendo muchos de sus descuidos a la condecendencia del vulgo; i viendose estrecha-
do, llegò a decir, que las nuevas circunstancias del tiempo pedìan nuevo genero de Comedias : como si la naturaleza de las cosas
fuesse mudable por qualesquiera accidentes.
La controversia se puso en terminos de que
la Academia Poetica de Madrid mandasse a
Lope de Vega, que alegasse por su parte lo
que tuviesse que decir. Entonces compuso el
Razonamiento que intitulò *Arte nuevo de
hacer Comedias en èste tiempo*. Como hombre ingenuo huvo de confessar sus yerros, do-
randolos como mejor pudo, dèsta suerte:
Mandanme Ingenios nobles, flor de España
        * * * * * * * * * * * * *
    Que un Arte de Comedias os escriva,
    Que al estilo del vulgo se reciva,
Facil parece este sugeto, i facil

Fue

Fuera para qualquiera de vosotros,
  Que ba escrito menos de ellas, i mas sabe
Del Arte de escrivirlas, i de todo:
Que lo que a mi me daña en èsta parte,
Es averlas escrito sin el Arte.

No porque Yo ignorasse los preceptos,
  Gracias a Dios, que yà tiron Gramatico
Passè los Libros que tratavan desto,
  Antes que buviesse visto al Sol diez veces
  Discurrir desde el Aries a los Peces.

Mas porque en fin ballè que las Comedias
  Estavan en España en aquel tiempo,
  No como sus primeros Inventores
  Pensaron que en el Mundo se escrivieran,
  Mas como las trataron muchos barbaros,
  Que enseñaron el vulgo a sus rudezas.

I assi se introdugeron de tal modo,
  Que quien con Arte agora escrive,
  Muere sin fama, i galardon: que puede
  Entre los que carecen de su lumbre
  Mas que razon, i fuerza, la costumbre.

Verdad es que Yo be escrito algunas veces
  Siguiendo el Arte, que conocen pocos:
  Mas luego que salir por otra parte
  Veo los monstruos de apariencias llenos,
  Adonde acude el vulgo, i las Mugeres
  Que èste triste egercicio canonizan;
  A aquel bavito barbaro me buelvo,

I

I quando he de escrivir una Comedia,
Encierro los precetos con seis llaves,
Sàco a Terencio, i Plauto de mi Estudio
Para que no me dèn vozes; que suele
Dar gritos la Verdad en Libros muchos.
I escrivo por el Arte que inventaron
Los que el vulgar aplauso pretendieron:
Porque, como las paga el vuigo, es justo,
Hablarle en necio para darle gusto.

Mas adelante dice:

Creed que ha sido fuerza que os trugesse
A la memoria algunas cosas destas,
Porque veais que me pedìs que escriva
Arte de hacer Comedias en España,
Donde quanto se escrive es contra el arte,
I que decir como seràn agora,
Contra el antiguo, i que en razon se funda,
Es pedir parecer a mi esperiencia,
No al Arte, porque el Arte verdad dice,
Que el ignorante vulgo contradice.

Lo mismo confiessa poco despues.

Mas pues del Arte vamos tan remotos,
I en España le hacemos mil agravios;
Cierren los Doctos èsta vez los labios.

I èste mismo, que por los mas juiciosos, i
leidos es tenido por Principe de la Comica
Española (porque Don Pedro Calderòn de
la Barca, ni en la invencion, ni en el estilo

es

es comparable con èl) concluye su Arte de
este modo.

Mas ninguno de todos llamar pudo
  Mas barbaro que Yo , pues contra el Arte
  Me atrevo a dar preceptos , i me dejo
  Llevar de la vulgar corriente adonde
  Me llamen ignorante , Italia , i Francia.
  Pero què puedo hacer , si tengo escritas
  Con una que he acabado èsta semana
  Quatrocientas i ochenta i tres Comedias?(u)
  Porque fuera de seis , las demàs todas
  Pecaron contra el Arte gravemente.
Sustento , en fin , lo que escrivì , i conozco,
  Que , aunque fueran mejor de otra manera,
  No tuvieran el gusto que han tenido:
  Porque a veces lo que es contra lo justo
  Por la misma razon deleita el gusto.

71   Tenemos Reo confesso a Lope de
Vega antes del Año 1602. pues en èl se imprimiò èsta Arte , si merece tal nombre un
Razonamiento Academico tan contrario a
ella. Reflexionemos ahora quan justa, i quan
moderada fuè la Censura de Cervantes , di-
rigida a los malos Comicos de su tiempo; no
a Lope de Vega , de quien hizo el devido

F

                                   apre-

(u) *Montalvàn en los Elogios a Lope de Vega*
Carpio , o Fama Postuma, dice que Lope com-
puso mil i ochocientas Comedias.

aprecio, contentandose solo con reprehender (sin nombrarle) lo mismo que èl publicamente avia confessado. El Discurso de Cervantes en mi juicio es el mas feliz que escriviò: i assi dèvame el Letor que le repita el gusto de bolver a leerlo. Supongo que Miguèl de Cervantes Saavedra se revistiò de la persona de un Canonigo de Toledo, i en nombre de èste hablò de esta suerte con el cèlebre Cura, Pero Perez. (x) ,, He tenido ,, cierta tentacion de hacer un Libro de Ca-,, vallerìas, guardando en èl todos los pun-,, tos que he significado; i, si he de confessar ,, la verdad, tengo escritas mas de cien ho-,, jas, i para hacer la experiencia, de si cor-,, respondìan a mi estimacion, las he comu-,, nicado con hombres apasionados de esta ,, leyenda, dotos, i discretos, i con otros ,, ignorantes, que solo atienden al gusto de ,, oìr disparates, i de todos he hallado una ,, agradable aprovacion. Pero con todo èsto ,, no he proseguido adelante, assi por pare-,, cerme que hago cosa agena de mi profes-,, sion, como por ver que es mas el numero ,, de los simples, que de los prudentes: i ,, que puesto que es mejor ser loado de los ,, pocos sabios, que burlado de los muchos ,, nes

,, necios; no quiero sugetarme al confuso
,, juicio del desvanecido vulgo, a quièn por
,, la mayor parte toca leer semejantes Li-
,, bros. Pero lo que mas me lo quitò de las
,, manos, i aun del pensamiento de acabar-
,, le, fuè un argumento que hice conmigo
,, mesmo, sacado de las Comedias que aho-
,, ra se representan, diciendo: Si estas que
,, ahora se usan, assi las imaginadas, como
,, las de Historia, todas, o las mas son co-
,, nocidos disparates, i cosas que no llevan
,, pies, ni cabeza; i con todo esso el vulgo
,, las oye con gusto, i las tiene, i las apru-
,, va por buenas, estando tan lejos de serlo;
,, i los Autores que las componen, (y) i los
,, Actores que las representan, dicen, que
,, assi han de ser, porque assi las quiere el
,, vulgo, i no de otra manera: i que las que
,, llevan traza, i siguen la Fabula, como el
,, Arte pide, no sirven sino para quatro dis-
,, cretos que las entienden, i todos los de-
,, màs se quedan ayunos de entender su arti-
,, ficio, i que a ellos les està mejor ganar de
,, comer con los muchos, que no opinion
,, con los pocos: deste modo vendrà a ser un
,, Libro, al cabo de averme quemado las ce-
,, jas, por guardar los preceptos referidos; i
F 2   ,, ven-

(y) *Vease lo que dijo Lope de Vega ya citado.*

,, vendrè a ser el Sastre del Campillo. I
,, aunque algunas veces he procurado per-
,, suadir a los Actores, que se engañan en te-
,, ner la opinion que tienen, i que mas gen-
,, te atraeràn, i mas fama cobraràn represen-
,, tando Comedias, que haga el Arte, que
,, no con las disparatadas : estàn tan asidos,
,, i encorporados en su parecer, que no ai
,, razon, ni evidencia que de èl los saque.
,, Acuerdome que un dia dige a uno destos
,, pertinaces: Decidme : No os acordais que
,, ha pocos años que se representaron en Es-
,, paña tres Tragedias, que compuso un fa-
,, moso Poeta destos Reinos, las quales fue-
,, ron tales, que admiraron, alegraron, i sus-
,, pendieron a todos quantos las oyeron, assi
,, simples, como prudentes ; assi del vulgo,
,, como de los escogidos ; i dieron mas di-
,, neros a los Representantes ellas tres solas,
,, que trinta de las mejores que despues acà
,, se han hecho ? Sin duda, respondiò el Au-
,, tor que digo, que deve de decir V.M. por
,, LA ISABELA, LA FILIS, i LA ALE-
,, JANDRA. Por estas digo, le repliquè Yo:
,, i mirad si guardavan bien los preceptos
,, del Arte ; i, si por guardarlos dejaron de
,, parecer lo que eran, i de agradar a todo
,, el Mundo. Assi que no està la falta en el
,, vul-

,, vulgo que pide difparates, fino en aque-
,, llos que no faben reprefentar otra cofa. Si;
,, que no fuè difparate LA INGRATITUD
,, VENGADA, ni le tuvo LA NUMAN-
,, CIA, ni fe fe hallò en la del MERCADER
,, AMANTE, ni menos en LA ENEMIGA
,, FAVORABLE, (z) ni en otras algunas,
,, que de algunos entendidos Poetas han
,, fido compueftas, para fama, i renombre
,, fuyo, i para ganancia de los que las han
,, reprefentado. I otras cofas añadí a èftas,
,, con que a mi parecer le degè algo confufo;
,, pero no fatisfecho, ni convencido, para
,, facarle de fu errado penfamiento. En ma-
,, teria ha tocado V. M. feñor Canonigo,
,, (dijo a èfta fazon el Cura) que ha def-
,, pertado en mi uh antiguo rencor que
,, tengo con las Comedias que agora fe ufan,
,, tal, que iguala al que tengo con los Libros
,, de Cavalleriàs; porque aviendo de fer la
,, Comedia, fegun le parece a Tulio, Efpejo
,, de la Vida humana, Egemplo de las Cof-
,, tumbres, i Imagen de la Verdad; las que
,, ahora fe reprefentan, fon Efpejos de Dif-
,, parates, Egemplos de Necedades, e Ima-
,, genes de Lafcivia. Porque què mayor dif-
                F 3   ,, pa-

(z) *Comedias de Miguèl de Cervantes Saave-*
dra. Veafe la Adjunta al Parnaso.

,, parate puede ser en el sugeto que tratàmos,
,, que salir un Niño en mantillas en la pri-
,, mera Scena del primer Acto, i en la segun-
,, da salir ya hecho Hombre barbado? I què
,, mayor, que pintarnos un Viejo valiente, i
,, un Mozo cobarde ; un Lacayo Rethorico,
,, un Page Consejero, un Rei Ganapan, i una
,, Princesa Fregona? Què dirè pues de la ob-
,, servancia que guardan en los tiempos en
,, que pueden, o podian suceder las acciones
,, que representan, sino que he visto Come-
,, dia, que la primera Jornada comenzò en
,, Europa, la segunda en Asia, la tercera se
,, acabò en Africa ; i aun si fuera de quatro
,, Jornadas, la quarta acabàra en America, i
,, assi se huviera hecho en todas las quatro
,, partes del Mundo. I si es que la imitacion
,, es lo principal que ha de tener la Come-
,, dia, còmo es possible que satisfaga a nin-
,, gun mediano entendimiento, que fingien-
,, do una accion, que passa en tiempo del
,, Rei Pepino, i Carlo Magno, al mismo que
,, en ella hace la persona principal, le atri-
,, buyan que fuè el Emperador Eraclio, que
,, entrò con la Cruz en Gerusalèn, i el que
,, ganò la Casa Santa, como Godofre de Bu-
,, llon, aviendo infinitos años de lo uno à lo
,, otro, i fundandose la Comedia sobre cosa
,, fin-

,, fingida, atribuirle verdades de Hiſtoria, i
,, mezclarle pedazos de otras, ſucedidas a di-
,, ferentes perſonas, i tiempos; i eſto no con
,, trazas veriſimiles, ſino con patentes erro-
,, res de todo punto ineſcuſables. I es lo ma-
,, lo, que ai ignorantes que digan, que eſto
,, es lo perfeto, i que lo demàs es buſcar gu-
,, llurìas. Pues què, ſi venimos à las Come-
,, dias Divinas? Què de milagros falſos fin-
,, gen en ellas? Què de coſas apocrifas, i mal
,, entendidas, atribuyendo a un Santo los
,, milagros de otro. I aun en las Humanas ſe
,, atreven a hacer milagros, ſin mas reſpeto,
,, ni conſideracion, que parecerles que allì
,, eſtarà bien el tal milagro, i apariencia, co-
,, mo ellos llaman, para que gente ignoran-
,, te ſe admire, i venga a la Comedia: que
,, todo eſto es en perjuicio de la Verdad, i
,, en menoſcabo de las Hiſtorias, i aun en
,, oprobio de los Ingenios Eſpañoles: porque
,, los Eſtrangeros, que con mucha puntuali-
,, dad guardan las leyes de la Comedia, nos
,, tienen por barbaros, e ignorantes, viendo
,, los abſurdos, i diſparates de las que hace-
,, mos. I no ſerìa baſtante diſculpa de eſto
,, decir, que el principal intento que las Re-
,, publicas bien ordenadas tienen, permitien-
,, do que ſe hagan publicas Comedias, es pa-

,, ra

,, ra entretener la comunidad con alguna
,, honesta recreacion, i divertirla a veces de
,, los malos humores que suele engendrar la
,, ociosidad ; i que pues èste se consigue con
,, qualquier Comedia buena , o mala , no ai
,, para què poner leyes, ni estrechar a los que
,, las componen , i representan a que las ha-
,, gan como devian hacerse; pues , como he
,, dicho, con qualquiera se consigue lo que
,, con ellas se pretende. A lo qual responde-
,, rìa Yo , que este fin se conseguiria mucho
,, mejor , sin comparacion alguna , con las
,, Comedias buenas , que con las no tales.
,, Porque de aver oìdo la Comedia artificio-
,, sa, i bien ordenada , saldrìa el oyente ale-
,, gre con las burlas; enseñado con las veras;
,, admirado de los sucessos ; discreto con las
,, razones; advertido con los embustes; sagaz
,, con los egemplos; airado contra el Vicio;
,, i enamorado de la Virtud: que todos estos
,, afectos ha de despertar la buena Comedia
,, en el animo de quien la escuchare, por rus-
,, tico, i torpe que sea. I de toda impossibi-
,, lidad, es impossible dejar de alegrar, i en-
,, tretener, satisfacer , i contentar la Come-
,, dia, que todas estas partes tuviere, mucho
,, mas que aquella que careciere de ellas: co-
,, mo por la mayor parte carecen èstas que
,, de

,, de ordinario agora se representan. I no tie-
,, nen la culpa desto los Poetas que las com-
,, ponen: porque algunos ai dellos que cono-
,, cen mui bien en lo que yerran, (a) i saben
,, estremadamente lo que deven hacer. Pero
,, como las Comedias se han hecho merca-de-
,, ria vendible, dicen, (b) i dicen verdad, que
,, los Representantes no se las comprarian,
,, si no fuessen de aquel jaez. I assi el Poeta
,, procura acomodarse con lo que el Repre-
,, sentante, que le ha de pagar su obra, le pi-
,, de. I que esto sea verdad, vease por muchas,
,, e infinitas Comedias que ha compuesto
,, un felicissimo ingenio de estos Reinos, (c)
,, con tanta gala, con tanto donaire, con tan
,, elegante verso, con tan graves sentencias;
,, finalmente tan llenas de elocucion, i alte-
,, za de estilo, que tiene lleno el Mundo de
,, su fama. I por querer acomodarse al gusto
,, de los Representantes, no han llegado to-
,, das, como han llegado algunas al pun-
,, to de la perfeccion que requieren. (d)
Otros

(a) *Uno de ellos era Lope de Vega.* (b) *El mis-*
mo Lope en su Arte. (c) *Lope de Vega, de quien*
dice Montalván que compuso mil i ochocien-
tas. (d) *Seis dijo Lope de Vega que avìa escrito*
con Arte. No las señalò, librandose con èsta
cautela de nueva, i mas rigurosa censura.

,, Otros las componen tan fin mirar lo
,, que hacen, que defpues de reprefenta-
,, das tienen neceffidad los Recitantes de
,, huirfe, i aufentarfe, temerofos de fer
,, caftigados, como lo han fido muchas ve-
,, ces, por aver reprefentado cofas en per-
,, juicio de algunos Reyes, i en deshonra de
,, algunos Linages. I todos eftos inconve-
,, nientes ceffarian, i aun otros muchos mas,
,, que no digo, con que huviefle en la Corte
,, una Perfona inteligente, i difcreta, que
,, examinaffe todas las Comedias, antes que
,, fe reprefentaffen : no folo aquellas que fe
,, hiciessen en la Corte, fino todas las que fe
,, quifiessen reprefentar en Efpaña, fin la qual
,, aprovacion, fello, i firma, ninguna Jufti-
,, cia en fu Lugar dejaffe reprefentar Come-
,, dia alguna : i defta manera los Comedian-
,, tes tendrian cuidado de embiar las Come-
,, dias a la Corte, i con feguridad podrian
,, reprefentallas : i aquellos que las compo-
,, nen, mirarian con mas cuidado, i eftudio
,, lo que hacian, temerofos de aver de paf-
,, far fus Obras por el rigurofo examen de
,, quien lo entiende. I defta manera fe harian
,, buenas Comedias, i fe confeguiria felicif-
,, fimamente lo que en ellas fe pretende, affi
,, el entretenimiento del Pueblo, como la
,, opi-

,, opinion de los Ingenios de España, el in-
,, terès, i seguridad de los Recitantes, i el
,, ahorro del cuidado de castigallos. I si se
,, diesse cargo a otro, o a èste mismo, que
,, examinasse los Libros de Cavallerìas, que
,, de nuevo se compusiessen, sin duda
,, podrìan salir algunos con la perfeccion
,, que vuestra mrd. ha dicho, enriqueciendo
,, nuestra Lengua del agradable, i precioso
,, thesoro de la eloquencia, dando ocasion
,, a que los Libros viejos se escureciessen a
,, la luz de los nuevos que saliessen, para ho-
,, nesto passatiempo, no solamente de los
,, ociosos, sino de los mas ocupados. Pues
,, no es possible que estè continuo el arco
,, armado, ni la condicion, i flaqueza hu-
,, mana se pueda sustentar sin alguna licita
,, recreacion.

72 Son acaso mas graves, mas discretos, i agradables los Dialogos de Platon! Fueron mejores sus deseos! Pudo la Censura de
Cervantes ser mas justa, i modesta? Ella fuè
tal en lo que toca a Lope de Vega, que èste
no se diò por ofendido; antes bien quando
se le ofreciò decir algo de Cervantes escriviò con mucha estimacion.

73 Pero el mal Continuador de Don
Quijote, como desfacedor de agravios lite-
rà-

rarios, quiſo enderezar el tuerto que imagi-
nava ſe avia hecho a Lope de Vega; i abro-
quelandoſe de la autoridad de èſte, intentò
con ella reparar los golpes que le diò Cervantes, hiriendole quizà en alguna de las
Cenſuras particulares, a que aluden èſte Coloquio, i la *Novela de los Perros*, que puede
mui bien llamarſe *Satira Lucilio-Horaciana*,
porque imitando a Lucilio, i a Horacio, reprehende a muchitſimos mordaciſsima, pero
ocultamente. I ſiendo quizà uno de los heri-
dos el Aragonès; en lugar de ſatisfacer con
buenas razones a la Cenſura de Cervantes;
como no las hallava, ni aun aparentes; ſe
valiò de ſu maledicencia. Pero bien ſe la caſtigò Cervantes: porque a lo que le opuſo de
la vegèz, manquedad, i genio embidioſo, le
reſpondiò aſi: (e) *Lo que no he podido dejar*
de ſentir, es, que me note de Viejo, i de Manco,
como ſi huviera ſido en mi mano aver deteni-
do el Tiempo, que no paſſaſſe por mi; o ſi mi
manquedad huviera nacido en alguna Taver-
na, ſino en la mas alta ocaſion (f) *que vieron*
los ſiglos paſſados, los preſentes, ni eſperan
vèr los venideros. Si mis heridas no reſplande-
cen en los ojos de quien las mira; ſon eſtima-
das

(e) *En el Prologo del Segundo Tomo.* (f) *En*
la Batalla de Lepanto.

das a lo menos en la estimacion de los que saben donde se cobraron; que el Soldado mas
bien parece muerto en la batalla, que libre en
la fuga. I es èsto en mi de manera, que si aora
me propusieran, i facilitàran un impossible;
quisiera antes averme ballado en aquella fac-
cion prodigiosa; que sano aora de mis heridas,
sin averme ballado en ella. Las que el Soldado
muestra en el rostro, i en los pechos, estrellas
son que guian a los demàs al Cielo de la honra, i
al de desear la justa alabanza. I base de advertir, que no se escrive con las canas, sino con
el entendimiento, el qual suele mejorarse con
los años. He sentido tambien, que me llamé
imbidioso, i que, como a ignorante, me des-
criva què cosa sea la Invidia, que en realidad
de verdad, de dos que ai, Yo no conozco sino
a la santa, a la noble, i bien intencionada.
(g) I siendo èsto assi, como lo es, no tengo Yo
de perseguir a ningun Sacerdote, i mas si tiene por añadidura ser Familiar del Santo Oficio. I si èl lo dijo por quien parece que lo dijo,
(Esto es, por Lope de Vega) engañòse de todo en todo; que del tal adoro el ingenio, ad-
miro las Obras, i la ocupacion continua, i
virtuosa.

74 Què Miguèl de Cervantes Saavedra
no

(g) *Esto es, a la Emulacion.*

no tuviesse embidia a Lope de Vega, se vè
en las alabanzas que le diò antes, i despues
del Discurso que hizo de las Comedias, donde en Persona del Canonigo de Toledo le
censurò tan moderadamente, como hemos
visto. En el *Libro VI.* de su *Galatea* en boca
de la misma Caliope dijo:

Muestra en un ingenio la experiencia,
Que en años verdes, i en edad temprana
Hace su havitacion ansi la Ciencia,
Como en la edad madura antigua, i cana.
No entrarè con alguno en competencia,
Que contradiga una verdad tan llana;
I mas si acaso a sus oìdos llega,
Que lo digo por vos, Lope de Vega.

Despues, en el *Viage del Parnaso* (h) hablò
del mismo con la mayor estimacion.

Lloviò otra nube al Gran Lope de Vega,
Poeta insigne, a cuyo verso, o prosa,
Ninguno le aventaja, ni aun le llega.

I aun despues de la Censura del Aragonès,
en la Continuacion de la misma *Historia de*
Don Quijote, hablando de Angelica, dijo, (i)
que *un Famoso Poeta Andaluz* (Luis Barahona de Soto) llorò, i cantò *sus LAGRIMAS,*
i otro Famoso, i unico Poeta Castellano (Lope de Vega) *cantò su HERMOSURA.* I en
otra

(h) *Capit.* 2. (i) *Tom. II, cap.* 1.

otra parte (k) aludiò con mucha estimacion
a la *Arcadia* de Lope de Vega. La Censura
pues que de èl hizo Cervantes , no naciò de
embidia , pues le alabò tanto como el que
mas , i sin medida alguna ; sino de su gran
conocimiento ; pues fuè mui justa. I la que
hizo de Cervantes el Continuador Tordesillesco , fuè hija de su Maledicencia , tan abo-
minable como se ha visto.

75 De otra manera que Fernandez de
Avellaneda , hablò Lope de Vega de Miguèl
de Cervantes Saavedra , quando despues de
aver sido censurado , i aun despues de la
muerte de su Censòr , cantò , i celebrò assi
su gloriosa manquedad. (l)

En la batalla donde el Rayo Austrino,
   Hijo immortal del Aguila famosa,
   Ganò las hojas del Laurèl Divino
   Al Rei del Asia en la Campaña undosa.
   La Fortuna embidiosa
   Hiriò la mano de Miguèl Cervantes:
   Pero su ingenio en versos de diamantes
   Los del plomo bolviò con tanta gloria,
   Que por dulces , sonoros , i elegantes,
   Dieron eternidad a su memoria:
   Porque se diga que una mano herida
   Pudo dar a su dueño eterna vida.

Tam-

(k) Tom. II. cap. 58. (l) *Laurèl de Apolo, Selv.* 8.

76   Tambien caſtigò Cervantès la Codicia de ſu detractor, haciendo deſprecio de
ſus amenazas, encomendando al Letor èſte
recado: (m) *Dile tambien, que de la amena-*
za que me hace, que me ha de quitar la ganan-
cia con ſu Libro, no ſe me dà un ardite ; que
acomodandome al Entremès famoſo de la Pe-
rendenga, le reſpondo, que viva el Veintei-
quatro mi Señor, i Chriſto con todos. Viva el
Gran Conde de Lemos (cuya Chriſtiandad, i
liberalidad bien conocida, contra todos los gol-
pes de mi corta fortuna, me tiene en pie) I
vivame la ſuma caridad del Illmo. de Toledo,
Don Bernardo de Sandoval, i Rojas. (Soſpè-
cho, que porque Cervantes hallò algun con-
ſuelo en la piedad de eſte Prelado, dijo ſu
detractor, (n) que ſe avìa *acogido a la Igleſia,*
i Sagrado.) *I ſiquiera no aya Imprentas en el*
Mundo; i ſiquiera ſe impriman contra mi mas
Libros que tienen letras las COPLAS DE
MINGO REBULGO. *Eſtos dos Principes,*
ſin que los ſolicite adulacion mia, ni otro ge-
nero de aplauſo, por ſola ſu bondad, han to-
mado a ſu cargo el hacerme merced, i favore-
cerme : en lo que me tengo por mas dichoſo, i
mas rico, que ſi la fortuna por camino ordina-
                                                    rio

(m) *En el Prologo del* 2.*Tom. de Don Quijote.*
(n) *En el Prologo ya citado.*

rio me huviera puesto en su cumbre. *La honra*
puèdela tener el pobre, pero no el vicioso: la
pobreza puede anublar a la nobleza, pero no
escurecerla del todo: pero como la virtud dè
alguna luz de si, aunque sea por los inconve-
nientes, i resquicios de la estrecheza, viene a
ser estimada de los altos, i nobles espiritus, i
por el consiguiente favorecida. I no le di-
gas mas.

77 Puede ser que alguno èche menos la
Respuesta de Cervantes a lo que dijo el maldiciente Satirico, que se hallava tan falto de
amigos, que si quisiesse adornar sus Libros
con Sonetos, no hallarìa Titulo quizàs en
España, que no se ofendiera de què tomàra
su nombre en la boca. A lo qual Cervantes
no respondiò palabra alguna; porque ya no
tenìa que añadir a lo que avìa dicho en boca
de aquel Amigo suyo, introducido en su Prologo, como consegero del mismo Cervantes,
satirizando las costumbres de los Escritores
de su tiempo, con tanta discrecion como èsta:
(o) *Lo primero en que reparais de los Sonetos,*
Epigramas, o Elogios, que os faltan para el
Principio, i que sean de Personages graves, i
de Titulo, se puede remediar, en que Vos mes-
mo tomeis algun trabajo en hacerlos; i despues

G   los

(o) *En el Prologo del Tom. I. de D. Quijote.*

los podéis bautizar, i poner el nombre que qui-
siéredes, ahijandolos al Preste Juan de las Indias, o al Emperador de Trapisonda, de quien
Yo sè que ai noticia, que fueron famosos Poetas; i quando no lo ayan sido, i huviere algunos Pedantes, i Bachilleres, que por detrás os
muerdan, i murmuren de esta verdad; no se
os dè dos maravedís; porque ya que os averi-
guen la mentira, no os han de cortar la mano
con que lo escrivísteis. Avia entonces en España la ridicula costumbre de prevenir el
animo de los Letores con muchas alabanzas,
la mayor parte de ellas fabricadas por sus
mismos Autores; como sucede hoi en los
que dan muchas Juntas Literarias, que pro-
fessan la Critica con poca seriedad, fiandose
demasiadamente de juicios agenos, tal vez
ignorantes, i tal apasionados. Reprehendiò
Lope de Vega aquel abuso quando dijo, (p)
que Apolo mandava en un Edicto varias
cosas.

   I que no propusiessen alabanzas.
     En Censuras fingidas,
     Con falsas esperanzas
     De que serán creidas,
     No sin risa escuchadas,
     En su sobervia, i vanidad fundadas:

                        Sa-

(p) *Laurèl de Apolo, Selva 2.*

78 Satirizando Cervantes a éstos tales, i satisfaciendo al mismo tiempo al deseo que tenia de ser alabado; puso al principio de su *Historia de Don Quijote* algunas Composiciones Poeticas en nombre, no de Grandes Señores (porque en la Republica Literaria no ai mas Grandes Señores que los que saben) sino de Urganda la Desconocida al Libro de Don Quijote de la Mancha ; de Amadìs de Gaula; de Don Belianìs de Grecia; de Orlando Furioso; del Cavallero del Febo; i de Solisdàn a Don Quijote de la Mancha; de la señora Oriana a Dulcinea del Toboso; de Gandalin, Escudero de Amadìs de Gaula , a Sancho Panza , Escudero de Don Quijote ; del Donoso Poeta Entreverado , a Sancho Panza , i Rocinante ; i ultimamente un Dialogo entre Babieca, i Rocinante; queriendo decir con esto, que su Libro de Don Quijote de la Mancha era mejor que todos los Libros de Cavallerìas; pues Don quijote de la Mancha hizo ventaja al celebre Amadìs de Gaula, Libro, que segun la fama comun, i lo que dijo Cervantes, (q) *Fuè el primero de Cavallerìas que se imprimiò en España; i todos los demàs han tomado principio, i origen de este....Dogmatizador de una Secta tan mala;...,bien que*

(q) *Tom. I. cap. 6.*

es el mejor de todos los Libros que de este genero se han compuesto.

79   Tambien se aventajò Don Quijote al
afamado Don Belianìs de Grecia. *Pues esse,*
replicò el Cura, (Pero Perez, estando haciendo el escrutinio con el Barbero Maesse Nicolas) *con la Segunda, Tercera, i Quarta Parte,*
tienen necessidad de un poco de ruibarbo, para
purgar la demasiada colera suya: i es menester
quitarles todo aquello del Castillo de la Fama,
i otras impertinencias de mas importancia.

80   Ni son comparables con las graciosas Locuras de Don Quijote de la Mancha,
los desafueros de Orlando Furioso, bien que
de su Autor dijo el Cura,(r)que si hablava en
su idioma, le pondrìa sobre su cabeza.

81   No dijo otro tanto del Cavallero del
Febo, en cuyo nombre tambien hizo Cervantes un Soneto. Imprimiòse este Libro con
este titulò: *Espejo de Principes, i Cavalleros,*
en el qual en tres Libros se cuentan los immor-
tales hechos del Cavallero Febo, i de su Her-
mano Rosicler, hijos del Grande Emperador
Trebacio, con las altas Cavallerias, i mui es-
traños amores de la mui hermosa, i estremada
Princesa Claridiana, i de otros altos Princi-
pes, i Cavalleros, por Diego Ortuñez de Cala-
                                           bore

(r) *En el mismo capitulo 6.*

hora de la Ciudad de Nagera. Salió el Espejo de Principes en dos Tomos en Folio, que contienen la Primera, i Segunda Parte, en Zaragoza, Año 1581. su Autor Pedro la Sierra. Despues Marco Martinez de Alcalà, continuò dichas Fabulas con este titulo: *Tercera Parte del Espejo de Principes, i Cavalleros, hechos de las Hijas, i Nietos del Emperador Trebacio. En Alcalà, Año 1589.* I Feliciano de Silva escriviò despues *La Quarta Parte del Cavallero del Febo.* Sabidos estos Titulos, se entenderà mejor el Soneto del Cavallero del Febo a Don Quijote de la Mancha; i se podrà aplicar la Critica que hizo el Cura, quando tomando el Barbero un Libro, dijo: (s) *Este es Espejo de Cavallerias. Ya conozco à su merced,* dijo el Cura. *Ahì anda el señor Reinaldos de Montalvàn, con sus amigos, i compañeros, mas Ladrones que Caco; i los doce Pares, con el verdadero Historiador Turpin. I en verdad que estoi por condenarlos no mas que a destierro perpetuo, siquiera porque tienen parte de la invencion del famoso Matheo Boyardo, de donde tambien tegiò su tela el Christiano Poeta Ludovico Ariosto.* Del estilo de Feliciano de Silva, hizo gran burla Cervantes en otra parte. (t)

G 3   De

(s) *Tom. I. cap. 6.* (t) *Tom. I. cap. 1.*

82 De la mifma fuerte que los Cavalleros Andantes cedieron a Don Quijote de la
Mancha, fueron tambien inferiores fus Damas a Dulcinea del Tobofo. I efto fignifican
los Verfos quebrados de Urganda la Defco-
nocida, i el Soneto de la feñora Oriana a
Dulcinea del Tobofo, Damas que hacen mucho papel en la Hiftoria de Amadis de Gaula. Fuera de que efto tambien alude a que en
tiempo de Cervantes dieron los Efcritores
en la ridicula manìa de hacer Sonetos en
nombre de mugeres, para que pueftos èftos
al principio de fus Obras, fueffen aquellas
tenidas por Poetifas, i ellos fe tuvieffen por
favorecidos de ellas.

83 El Soneto de Gandalin a Sancho Panza, quiere decir, que ningun Efcudero huvo
como Sancho Panza. I las Decimas del Poeta Entreverado, i el Dialogo entre Babieca,
i Rocinante, que no huvo Cavallero tan cèlebre, como Rocinante, pues (u) *aunque tenia mas quartos que un real, i mas tachas que
el Cavallo de Gonela, q̃ tantum pellis, & offa
fuit, le pareciò que ni el Bucefalo de Alejandro,
ni Babieca el del Cid, con èl fe igualaban.*

84 En lo que toca pues al cargo que el
Aragonès hizo a Cervantes de que no tenìa
de

(u) *Tom. I. cap. I.*

de quien valerse , para autorizar con varios
Sonetos la entrada de su Libro, no tenìa Cervantes satisfaccion alguna que añadir ; pues
de lo mismo que el otro echava menos, avia
hecho ya tanta burla, no solo en el Prologo
de Don Quijote , sino tambien en el de sus
Novelas; pues hablando de aquel abuso, i del
Amigo en cuya cabeza introdujo los discre-
tissimos consejos , que el mismo Cervantes
tan diestra, i felizmente practicò; despues de
averse pintado en lo esterior , e interior, segun el cuerpo, digo, i el animo, añadiò : *I*
quando à la (memoria) *de este Amigo de quien*
me quejo , no ocurrieran otras cosas de las di-
chas , que decir de mi, Yo me levantàra à mì
mismo dos docenas de testimonios , i se los di-
gera en secreto, con que estendiera mi nombre,
i acreditàra mi ingenio; porque pensar que di-
cen puntualmente la verdad los tales Elogios,
es disparate , por no tener punto preciso , ni
determinado las alabanzas , ni los vituperios.
En fin, pues ya esta ocasion se passò , i Yo he
quedado en blanco , i sin figura; serà forzoso
valerme por mi pico; que, aunque tartamudo,
no lo serà para decir verdades , que dichas por
señas suelen ser entendidas. Despues prosigue
diciendo lo que sentìa de sus propias Novelas; sin hablar, como dicen, por boca deganso.

A

85   A lo que dijo el maldiciente de que
Cervantes avia escrito su *Primera Parte de
D. Quijote* entre los hierros de la Carcel, i que
por esso avia cometido tantos; sobre su encar-
celamiento no quiso responder. Quizà por
no ofender a los Ministros de Justicia : porque ciertamente su prision no seria ignomi-
niosa ; pues el mismo Cervantes voluntaria-
mente la refirió en el principio del Prologo
de su Primer Tomo. En lo que toca a sus descuidos, Yo no niego que Cervantes aya tenido algunos, los quales tengo observados; pero como el Aragonès no los especificò , no
era razon que satisfaciendole Cervantes , le
atribuyesse la gloria de una justa , o razonable censura. I assi la confession de los propios descuido , o defensa de los que los Criticos de aquel tiempo censuraron, como tales , se reserva para la devida ocasion : i la
censura de otros, que se pudieran hacer re-
parables , se omite por la reverencia que se
deve a la buena memoria de tan gran Varon.

86   En lo que Miguèl de Cervantes car-
gò mas la mano a su injuriador , fuè en la
reprehension de su atrevimiento; pues lo fuè,
i mui grande , continuar una Obra de pura
invencion , siendo agena , i viviendo el Autor. Por esto dice al Lector: *Si por ventura
lle-*

llegares a conocerle , dile de mi parte , que no
me tengo por agraviado; que bien sè lo que son
tentaciones del Demonio; i que una de las mayores es , ponerle a un hombre en el entendimiento que puede componer , e imprimir un
Libro , con que gane tanta fama , como dineros, i tantos dineros quanta fama. I para con-
firmacion de esto , quiero que con tu buen donaire, i gracia le cuentes este cuento. Prosigue
Cervantes contando el cuento . i despues
otro, con tan satirica gracia, que no cabe mas.

87 Pareciendole a Cervantes , que el
atrevimiento del Aragonès pedìa mayor castigo ; para hacerle mas ridiculo , en varias
partes del cuerpo de su Obra entremezclò
algunas censuras de aquella perversa Continuacion; las quales es razon que aquì se lean
juntas para que otros no caigan en tentacion
semejante.

88 En el Capitulo LIX. del *Segundo To-*
mo , suponiendo que unos Passageros estavan leyendo en un Meson la *Continuacion* del
Aragonès; introduce a un tal Don Juan, diciendo assi : ,, Por vida de vuessa Mrd. se-
,, ñor Don Geronimo, que en tanto que
,, traen la cena , leamos otro Capitulo de la
,, Segunda Parte de Don Quijote de la Man-
,, cha. Apenas oyò su nombre Don Quijote,

(el

(el qual eſtava en el apoſento immediato , di-
vidido del otro con un ſutil tabique) quando
,, ſe puſo en pie , i con oìdo alerto eſcuchò
,, lo que dèl tratavan, i oyò, que el tal Don
,, Geronimo referido , reſpondiò : Para què
,, quiere vueſſa Mrd. ſeñor Don Juan , que
,, leamos èſtos diſparates , ſi el que huviere
,, leìdo la Primera Parte de la Hiſtoria de
,, Don Quijote de la Mancha , no es poſſi-
,, ble que pueda tener guſto en leer èſta Se-
,, gunda ? Con todo eſſo , dijo el Don Juan,
,, ſera bien leerla , pues no ai Libro tan ma-
,, lo , que no tenga alguna coſa buena. Lo
,, que a mì en èſte mas me deſplace es , que
,, pinta a Don Quijote ya deſenamorado de
,, Dulcinea del Toboſo.Oyendo lo qual Don
,, Quijote , lleno de ira , i de ſoſpecho , alzò
,, la voz , i dijo : Quien quiera que digere,
,, que Don Quijote de la Mancha ha olvida-
,, do , ni puede olvidar a Dulcinea del To-
,, boſo, Yo le harè entender con armas igua-
,, les, que va mui lejos de la verdad ; porque
,, la ſin par Dulcinea del Toboſo , ni puede
,, ſer olvidada, ni en Don Quijote puede ca-
,, ber olvido. Su blaſſon es la firmeza , i ſu
,, profeſſion el guardarla con ſuavidad, i ſin
,, hacerſe fuerza alguna. Quien es el que nos
,, reſponde ? reſpondieron del otro apoſen-
,, to.

,, to. Quien ha de ser, respondiò Sancho, sino
,, el mismo D. Quijote de la Mancha, que harà
,, bueno quanto ha dicho, i aun quanto dige-
,, re? que al buen pagador no le duelen pren-
,, das. Apenas huvo dicho èsto Sancho, quan-
,, do entraron por la puerta de su aposento
,, dos Cavalleros, q̃ tales lo parecìan, i uno
,, dellos, echando los brazos al cuello de Don
,, Quijote, le dijo: Ni vuestra presencia pue-
,, de desmentir vuestro nombre, ni vuestro
,, nombre puede no acreditar vuestra presen-
,, cia. Sin duda Vos, Señor, sois el verdade-
,, ro Don Quijote de la Mancha, Norte, i
,, Lucero de la Andante Cavalleria, a despe-
,, cho, i pesar del que ha querido usurpar
,, vuestro nombre, i aniquilar vuestras haza-
,, ñas, como lo ha hecho el Autor de este Li-
,, bro, que aqui os entrego; i poniendole un
,, Libro en las manos, que traìa su compañe-
,, ro; le tomò Don Quijote, i sin responder
,, palabra comenzò a hogearle: i de alli a un
,, poco se le bolviò diciendo: En èsto poco
,, que he visto he hallado tres cosas en èste
,, Autor, dignas de reprehension. La prime-
,, ra es, algunas palabras, que he leìdo en el
,, Prologo. La otra, que el lenguage es Ara-
,, gones, porque tal vez escrive sin Articu-
,, los. I la tercera, que mas le confirma por
,, ig-

,, ignorante , es , que yerra , i se desvìa de la
,, verdad en lo mas principal de la Historia:
,, porque aqui dice,(x) que la Muger de San-
,, cho Panza mi Escudero se llama Mari Gu-
,, tierrez, i no se llama tal , sino Teresa Pan-
,, za. I quien en èsta parte tan principal yer-
,, ra , bien se podrà temer , que yerre en to-
,, das las demas de la Historia. A èsto dijo
,, Sancho : Donosa cosa de Historiador ! Por
,, cierto bien deve de estàr en el Cuento de
,, nuestros Sucessos;pues llama a Teresa Pan-
,, za mi muger Mari Gutierrez. Tòrne a to-
,, mar el Libro , Señor , i mire si ando Yo
,, por ahì , i si me ha mudado el nombre.
,, Por lo que he oìdo hablar , Amigo , dijo
,, Don Geronimo , sin duda deveis de ser
,, Sancho Panza, el Escudero del señor Don
,, Quijote. Si soi , respondiò Sancho , i me
,, precio de ello. Pues a fee , dijo el Cavalle-
,, ro , que no os trata èste Autor Moderno
,, con la limpieza que en vuestra Persona se
,, muestra. Pintaos comedor , i simple , i no
,, nada gracioso , i mui otro del Sancho, que
,, en la Primera Parte de la Historia de vues-
,, tro Amo se descrive. Dios se lo perdone,
,, Sancho. Dejàrame en mi rincon , sin acor-
,, darse de mì : porque quien las sabe las ta-
　　　　　　　　　　　　　　　　　　,, ñe:

x) *Cap.* 8. *i en otros muchos.*

,, ñe : i bien se está San Pedro en Roma.
,, Los dos Cavalleros pidieron a Don Qui-
,, jote se passasse a su estancia a cenar con
,, ellos, que bien sabìan, que en aquella Ven-
,, ta no avìa cosas pertenecientes para su Per-
,, sona. Don Quijote, que siempre fuè come-
,, dido, (y) condecendiò con su demanda, i
,, cenò con ellos. Quedóse Sancho con la olla,
,, con mero mixto imperio. Sentóse en ca-
,, becera de mesa, i con èl el Ventero, que
,, no menos que Sancho, estava de sus ma-
,, nos, i de sus uñas aficionado. En el discur-
,, so de la cena preguntò Don Juan a Don
,, Quijote, què nuevas tenia de la señora
,, Dulcinea del Toboso? Si se avìa casado?
,, si estava parida, o preñada? o, si estando
,, en su entereza, se acordava (guardando su
,, honestidad, i buen decoro) de los amoro-
,, sos pensamientos del señor Don Quijote
,, de la Mancha? A lo que èl respondiò: Dul-
,, cinea se esta entera, i mis pensamientos
,, mas firmes que nunca: las corresponden-
,, cias en su sequedad antigua: su hermosura
,, en la de una soez Labradora transformada.
,, I luego les fuè contando punto por punto
,, el encanto de la señora Dulcinea, i lo que
,, le avìa sucedido en la Cueba de Montesi-
,, nos,

(y) *No le pinta assi el Aragonès.*

,, nos, con la orden que el Sabio Merlin le
,, avìa dado para defencantarla, que fuè la
,, de los azotes de Sancho. Sumo fuè el con-
,, tento que los dos Cavalleros recibieron de
,, oìr contar a Don Quijote los eſtraños ſu-
,, ceſſos de ſu Hiſtoria. I aſsi quedaron admi-
,, rados de ſus diſparates, como del elegante
,, modo con que los contava. Aquì le tenìan
,, por diſcreto; i allì ſe les deslizava por
,, mentecato, ſin ſaber determinarſe, què gra-
,, do le darìan entre la diſcrecion, i la locu-
,, ra. Acabò de cenar Sancho, i dejando he-
,, cho Equis al Ventero, ſe paſsò a la eſtan-
,, cia de ſu Amo, i en entrando dijo: Que
,, me maten, ſeñores, ſi el Autor de eſte Li-
,, bro, que vueſſas Mercedes tienen, quiere
,, que no comamos buenas migas juntos. Yo
,, querrìa, que ya ǵ me llama comilon, como
,, vueſſas Mercedes dicen, no me llamaſſe
,, tambien Borracho. Si llama, dijo Don Ge-
,, ronimo: pero no me acuerdo en què ma-
,, nera: aunque sè, que ſon mal ſonantes las
,, razones, i ademàs mentiroſas, ſegun Yo
,, echo de vèr en en la fiſonomìa del buen
,, Sancho, que eſtà preſente. Creanme vueſ-
,, ſas Mercedes, dijo Sancho, que el Sancho,
,, i el Don Quijote de eſſa Hiſtoria deven de
,, ſer otros, que los que andan en aquella,
que

,, que compuſo Cide Hamete Benengeli, que
,, ſomos Noſotros: mi Amo valiente, diſ-
,, creto, i enamorado; i Yo, ſimple, graci-
,, ſo, i no comedor, ni borracho. Yo aſsi lo
,, creo, dijo Don Juan; i ſi fuera poſsible, ſe
,, avia de mandar, que ninguno fuera oſſado
,, a tratar de las coſas del Gran Don Quijo-
,, te, ſi no fueſſe Cide Hamete ſu primer Au-
,, tor. (z) Bien aſsi como mandò Alejandro,
,, que ninguno fueſſe oſſado a retratarle,ſino
,, Apeles. Retrateme el que quiſiere, dijo
,, Don Quijote; pero no me maltrate; que
,, muchas veces ſuele caerſe la paciencia
,, quando la cargan de injurias. (a) Ningu-
,, na, dijo Don Juan, ſe le puede hacer al
,, ſeñor Don Quijote, de quien èl no ſe pue-
,, da vengar, ſi no la repara en el eſcudo de
,, ſu paciencia, que a mi parecer es fuerte, i
,, grande. En èſtas, i otras platicas ſe paſſò
,, gran parte de la noche. I aunque Don Juan
,, quiſiera que Don Quijote leyera mas del
,, Libro, por vèr lo que diſcantava, no lo
,, pudieron acabar con èl, diciendo, que èl
,, lo dava por leìdo, i lo confirmava por to-
,, do necio, i que no querìa, ſi acaſo llegaſſe

,, 2

(z) Veaſe el Tom. I. Cap. 9. de Don Quijote.
(a) Eſta es una oculta amenaza contra el Eſ-
critor Aragonès.

,, a noticia de su Autor , que le avìa tenido
,, en sus manos, se alegrasse con pensar que
,, le avìa leìdo : pues de las cosas obscenas, i
,, torpes,(b)los pensamientos se han de apar-
,, tar , quanto mas los ojos. Preguntaronle,
,, que adonde llevava determinado su viage?
,, Respondiò , que a Zaragoza a hallarse en
,, las Justas del Arnès , que en aquella Ciu-
,, dad suelen hacerse todos los años. Dijole
,, Don Juan, que aquella nueva Historia con-
,, tava, (c) como Don Quijote, sea quien se
,, quisiere , se avìa hallado en ella una Sor-
,, tija, falta de Invencion, pobre de Letras,
,, pobrissima de Libreas, aunque rica de
,, Simplicidades. Por el mismo caso, respon-
,, diò Don Quijote, no pondrè los pies en
,, Zaragoza: i assi sacarè a la Plaza del Mun-
,, do la mentira de esse Historiador moder-
,, no, i echaran de vèr las Gentes, como Yo
,, no soi el Don Quijote que èl dice. Harà
,, mui bien, dijo Don Geronimo: i otras
,, Justas ai en Barcelona, donde podrà el se-
,, ñor Don Quijote mostrar su valor. Assi lo
,, pienso hacer, dijo Don Quijote ; i vuessas
,, Mercedes me dèn licencia (pues ya es ho-
,, ra) para irme al lecho, i me tengan, i pon-
                                              ,, gan

(b) *Como lo es la Continuacion del Aragonès,*
en muchos Capitulos. (c) *En el cap.* 11.

„ gan en el numero de sus mayores Amigos,
„ i Servidores. I a mi tambien, dijo Sancho,
„ quizà serè bueno para algo. Con esto se
„ despidieron: i Don Quijote, i Sancho se re-
„ tiraron a su aposento, dejando a Don Juan,
„ i a Don Geronimo, admirados de vèr la
„ mezcla que avia hecho de su discrecion, i
„ de su locura; i verdaderamente creyeron,
„ que estos eran los verdaderos Don Quijo-
„ te, i Sancho, i no los que descrivia su Au-
„ tor Aragonès. „ Admirable Critica! Uno
de los preceptos de la Fabula es, o seguir la
fama, o fingir las cosas de manera, que convengan entre sì. Cervantes avia figurado a
Don Quijote, como Cavallero Andante, valiente, discreto, i enamorado; i essa fama tenìa quando el llamado Fernandez de Avellaneda se puso a continuar su Historia; i en
ella le pinta, covarde, necio, i desamorado.
La Dama de Don Quijote, como decìa la
Duquesa, (d) era *una Dama fantastica (Da-*
ma en fin de loco) que Don Quijote engen-
drò, i pariò en su entendimiento, i la pintò
con todas aquellos gracias, i perfecciones que
quiso; .... hermosa sin tacha, grave sin so-
bervia, amorosa con honestidad, agradecida
por cortès, cortès por bien criada; i finalmen

H   *te*

(d) Tom. II. cap. 32.

te alta por linage. Fernandez de Avellaneda
la pintò mui al contrario. Cervantes ideò a
Sancho Panza, simple, graciofo, i no comedor, ni borracho : Fernandez de Avellaneda,
simple sì, pero no nada graciofo, comedor, i
borracho. I affi, ni figuiò la fama, ni fingiò
con uniformidad. Con razon pues hablando
Altifidora de una **vifion** que tuvo (que las
Mugeres fon las que ordinariamente fingen
las vifiones) dijo, (e) que viò unos Diablos
que jugavan a la pelota con unas palas de
fuego, firviendoles de pelotas, Libros al parecer llenos de viento, i de borra ; de fuerte
que al primer boleo no quedava pelota en
pie, ni de provecho para fervir otra vez, i
affi menudeavan Libros nuevos, i viejos,
que era una maravilla. *A uno de ellos, nuevo,*
flamante, i bien enquadernado le dieron un pa-
pirotazo, que le facaron las tripas, i le efpar-
cieron las hojas. Dijo un Diablo a otro: Mi-
rad què Libro es effe ? I el Diablo le refponp-
pondiò : Efta es la Segunda Parte de la Hifto-
ria de Don Quixote de la Mancha, no compuef-
ta por Cide Hamete, fu primer Autor, fino
por un Aragonès, que èl dice fer natural de
Tordefillas. Quitadmele de ahì, refpondiò el
otro Diablo, i metedle en los abifmos del In-
fier-

(e) Tom. II. cap. 70.

fierno, no le vean mas mis ojos. Tan malo es?
Respondiò el otro. Tan malo, replieò el primero, que si de proposito Yo mismo me pusiera a
hacerle peor, no acertara. I poco despues añade Don Quijote. Essa Historia anda por acà
de mano en mano; pero no pàra en ninguna,
porque todos la dan del pie. De cuyas palabras
se colige, que luego que saliò a luz, empezò
a despreciarse. I como Cervantes finge que
los Diablos jugavan a la pelota con unas palas de fuego; de ahì devieron tomar algunos
ocasion de adelantarse a decir, (f) que los
Amigos de Cervantes quemavan los Libros
del mal Continuador: lo qual se dice volun-
tariamente; porque no tenia Cervantes Amigos, que tan a costa suya quisiessen favo-
recerle.

89 Como quiera que sea, oigamos lo
que sobre el mismo Libro dicen Sancho, i
Don Quijote. (g) *Yo apostarè, dijo Sancho,
que antes de mucho tiempo no ha de aver Bo-
degòn, Venta, ni Meson, o Tienda de Barbero,
donde no ande pintada la Historia de nuestras
Hazañas; pero queria Yo, que la pintassen
manos de otro mejor Pintor, que el que ha pin-*

H 2
ta-

(f) *Vease el Prologo de la reimpression del llamado Fernandez de Avellaneda.* (g) *Tom. II.
cap. 71.*

tado a èstas. Tienes razon, Sancho, dijo Don
Quijote: porque èste Pintor es como Orbaneja,
un Pintor que estava en Ubeda, que quando le
preguntavan, què pintava? Respondìa: Lo
que saliere. I, si por ventura pintava un Gallo, escrivia debaxo: Este es Gallo; porque no
pensassen que era Zorra. De esta manera me
parece a mi, Sancho, que deve de ser el Pintor,
o Escritor, que todo es uno, que sacò a luz la
Historia de èste nuevo Don Quijote, que ha
salido, que pintò, o escriviò lo que saliere; o
avrà sido como un Poeta, que andava los años
passados en la Corte, llamado Mauleon, el
qual respondìa de repente a quanto le preguntavan: I preguntandole uno, què querìa decir
Deum de Deo? Respondiò: Dè donde diere.

90   El mismo Don Quijote, hablando en
otra ocasion con Don Alvaro Tarfe, (que en
la Historia del Aragonès hace mucho papel)
tuvo èste coloquio: (h) ,, Digame vuessa
Mrd. señor Don Alvaro: Parezco Yo en al-
,, go a esse tal Don Quijote, que vuessa Mrd.
,, dice? No por cierto, respondiò el Hues-
,, ped: en ninguna manera. I esse Don Qui-
,, jote, dijo el nuestro, trahìa consigo a un
,, Escudero llamado Sancho Panza? Si tra-
,, hìa, respondiò Don Alvaro: i aunque te-
,, nìa

(h) Tom. II, cap. 72.

,, nìa fama de mui graciofo, nunca le ohì dè-
,, cir gracia que la tuvieſſe. Eſſo creo Yo mui
,, bien , dijo a eſta ſazon Sancho : porque el
,, decir gracias , no es para todos ; i eſſe San-
,, cho , que vueſſa Mrd. dice , Señor Gentil-
,, Hombre , deve de ſer algun grandiſſimo
,, vellaco , frion , i ladron juntamente ; que
,, el verdadero Sancho Panza ſoi Yo , que
,, tengo mas gracias , que llovidas ; i ſi no,
,, haga vueſſa Mrd. la experiencia , i andeſe
,, tras de mì por lo menos un año , i verà, que
,, ſe me caen a cada paſſo , i tales , i tantas,
,, que , ſin ſaber Yo las mas veces lo que me
,, digo , hago reir a quantos me eſcuchan : i
,, el verdadero Don Quijote de la Mancha,
,, el famoſo , el valiente , i el diſcreto, el ena-
,, morado , el desfacedor de agravios , el tu-
,, tor de pupilos , i huerfanos , el amparo de
,, de las Viudas , el mantenedor de las Don-
,, cellas , el que tiene por unica Señora a la
,, ſin par Dulcinea del Toboſo , es eſte Señor
,, que eſtà preſente , que es mi Amo. Todo
,, qualquier otro Don Quijote , i qualquier
,, otro Sancho Panza , es burleria , i coſa de
,, ſueño. Por Dios que lo creo , reſpondiò
,, Don Alvaro ; porque mas gracias aveis di-
,, cho Vos , Amigo , en quatro razones que
,, aveis hablado , que el otro Sancho Panza
H 3   ,, en

,, en quantas Yo le ohì hablar , que fueron
,, muchas; mas tenìa de comilon, que de bien
,, hablado, i mas de tonto, que de graciofo. I
,, tengo por fin duda, que los Encantadores,
,, que perfiguen a Don Quijote el bueno, han
,, querido perfeguirme a mi con D. Quijote
,, el malo; pero no sè què me diga, que offarè
,, Yo jurar, que le dejo metido en la Cafa del
,, Nuncio en Toledo, para que le curen, (i) i
,, aora remanece aqui otro D. Quijote, aun-
,, que bien diferente del mio. Yo , dijo Don
,, Quijote, no sè fi foi bueno ; pero se decir,
,, que no foi el malo. Para prueva de lo qual
,, quiero que fepa vuessa Mrd. mi Señor Don
,, Alvaro Tarfe, que en todos los dias de mi
,, vida no he eftado en Zaragoza ; antes por
,, averme dicho, que esse D. Quijote fantaftico
,, fe avia hallado en las Juftas de essa Ciudad,
,, no quife Yo entrar en ella, por facar a las
,, barbas del Mundo su mentira. I afsi me
,, passè de claro a Barcelona , Archivo de la
,, Cortesìa , Alvergue de los Estrangeros,
,, Hospital de los pobres , Patria de los va-
,, lientes, Venganza de los ofendidos, i Cor-
,, respondencia grata de firmes amistades ; i
,, en Sitio , i en belleza unica. I aunque los
                                             ,, Su-

(i) *Veafe la Continuacion de Fernandez de*
Avellaneda , cap. 36.

,, Sucessos, que en ella me han sucedido no
,, son de mucho gusto, sino de mucha pesa-
,, dumbre; los lievo sin ella, solo por averla
,, visto. Finalmente, Señor Don Alvaro Tar-
,, fe, Yo soi Don Quijote de la Mancha, el
,, mismo que dice la fama, i no esse desven-
,, turado, que ha querido usurpar mi nom-
,, bre, i honrarse con mis pensamientos. A
,, vuessa Mrd. suplico, por lo que deve a ser
,, Cavallero, sea servido de hacer una De-
,, claracion ante el Alcalde de este Lugar, de
,, que vuessa Mrd. no me ha visto en todos
,, los dias de su vida hasta agora, i de que Yo
,, no soi el Don Quijote impresso en la Se-
,, gunda Parte, (j) ni este Sancho Panza mi
,, Escudero es aquel, que vuessa Mrd. cono-
,, ciò. Esso harè Yo de mui buena gana, res-
,, pondiò Don Alvaro, puesto que causa ad-
,, miracion vèr dos Don Quijotes, i dos
,, Sanchos a un mismo tiempo, tan confor-
,, mes en los nombres, como diferentes en
,, las acciones. I buelvo a decir, i me afirmo,
,, que no he visto lo que he visto; ni ha pas-
,, sado por mì lo que ha passado.... Entrò
,, acaso el Alcalde del Pueblo en el Meson
,, con un Escrivano, ante el qual Alcalde pi-
,, diò Don Quijote por una peticion, de que

H 4 ,, a

(j) *Habla de la de Fernandez de Avellaneda.*

,, a su derecho convenìa, de que Don Alva-
,, ro Tarfe, aquel Cavallero que allì estava
,, presente, declarasse ante su Mrd. como no
,, conocìa a Don Quijote de la Mancha, que
,, assimismo estava allì presente, i que no
,, era aquel que andava impresso en una His-
,, toria, intitulada : SEGUNDA PARTE
,, DE DON QUIJOTE DE LA MANCHA,
,, compuesta por un tal de AVELLANEDA,
,, natural de Tordesillas. Finalmente el Al-
,, calde proveyò juridicamente. La Declara-
,, cion se hizo con todas las fuerzas, que en
,, tales casos devìan hacerse, con lo que que-
,, daron Don Quijote, i Sancho mui alegres,
,, como si les importàra mucho semejante
,, Declaracion, i no mostràra claro la dife-
,, rencia de los dos Don Quijotes, i la de los
,, dos Sanchos, sus obras, i sus palabras. Mu-
,, chas cortesìas, i ofrecimientos passaron
,, entre Don Alvaro, i Don Quijote, en las
,, quales mostrò el gran Manchego su discre-
,, cion, de modo, que desengañò a Don Al-
,, varo Tarfe del error en que estava, el qual
,, se diò a entender, que devìa de estàr
,, encantado, pues tocava con la mano dos
,, tan contrarios Don Quijotes.

91   Ultimamente, el mismo Don Quijote de la Mancha, o por mejor decir, Alonso
Qui-

Quijano el bueno, restituído ya a su entero juicio, en una de las Clausulas de su Testamento ordenò lo siguiente: (k) *Iten suplico a los dichos señores mis Albaceas* (el Señor Cura Pero Perez, i el Señor Bachillèr Sanson Carrasco, estavan presentes) *que si la buena suerte los trugere a conocer al Autor que dicen que compuso una Historia, que anda por abì con el titulo de* SEGUNDA PARTE DE LAS HAZAñAS DE DON QUIJOTE DE LA MANCHA, *de mi parte le pidan quan encarecidamente ser pueda, perdone la ocasion que sin Yo pensarlo le dì de aver escrito tantos, i tan grandes disparates como en ella escrive: porque parto de esta vida con escrupulo de averle dado motivo para escrivirlos.*

92 Mucha razon pues tuvo Miguèl de Cervantes Saavedra, para juzgar, i decir, que la gloria de continuar con felicidad la Historia de Don Quijote de la Mancha, solo quedava reservada a su pluma. I para que esto no sonasse a jactancia, puso este discreto Razonamiento en boca de Cide Hamete Benengeli, hablando èste con su propia Pluma. Dice pues Cervantes: (l) ,, I el prudentissimo Cide ,, Hamete dijo a su pluma. Aqui quedaràs ,, col-

(k) *Tom. II. cap. ultim.* (l) *Tom. II. en el fin.*

,, colgada de esta espetera , i de este hilo de
,, alambre, ni sè si bien cortada , o mal taja-
,, da, Peñola mia, adonde viviràs luengos si-
,, glos, si presuntuosos, i malandrines Histo-
,, riadores no te descuelgan para profanarte.
,, Pero antes que a ti lleguen, les puedes ad-
,, vertir, i decirles en el mejor modo que pu-
,, dieres: (m) *Tate, tate, folloncillos : de nin-*
guno sea tocada : porque èsta empressa, buen
Rei, para mi estaba guardada. ,, Para mi sola
,, naciò Don Quijote, i Yo para èl : èl supo
,, obrar , i Yo escrivir : solos los dos somos
,, para en uno, a despecho, i pesar del Escri-
,, tor fingido, i Tordesillesco, que se atreviò,
,, o se ha de atrever a escrivir con pluma de
,, Abestruz, grosera, i mal deliñada , las ha-
,, zañas de mi valeroso Cavallero; porque no
,, es carga de sus ombros, ni assunto de su
,, resfriado ingenio. A quien advertiràs (si
,, acaso llegas (n) a conocerle) que dege re-
,, posar en la sepultura los cansados, i ya po-
,, dridos huessos de Don Quijote , i no le
,, quiera llevar, contra todos los fueros de la
,, muer-

(m) *Lo que se sigue està sacado de un Ro-*
mance antiguo : no me acuerdo qual (n) *In-*
dicio de quan oculto era el Autor Tordi-
sillesco.

,, muerte, a Castilla la Vieja, (o) haciendole
,, salir de la fuessa, donde real, i verdadera-
,, mente yace tendido de largo a largo, im-
,, possibilitado de hacer tercera Jornada, i
,, Salida nueva: que para hacer burla de tan-
,, tas como hicieron tantos Andantes Cava-
,, lleros, bastan las dos que èl hizo, (p) tan a
,, gusto, i beneplacito de las gentes, a cuya
,, noticia llegaron, assi en estos, como en los
,, estraños Reinos: i con esto cumpliràs con
,, tu Christiana profession, aconsejando bien
,, a quien mal te quiere; i Yo (q) quedarè sa-
,, tisfecho, i ufano de aver sido el primero,
,, que gozò el fruto de sus Escritos entera-
,, mente como deseava; pues no ha sido otro
,, mi deseo, que poner en aborrecimiento de
,, los Hombres las fingidas, i disparatadas
,, Historias de los Libros de Cavallerias, que
,, por las de mi verdadero Don Quijote vàn
,, ya tropezando, i han de caer del todo sin
,, duda alguna. VALE. En efeto, luego
que

(o) *El mal Continuador en el cap. ultimo diò
indicios de querer escrivir algunas Andanzas
de Don Quijote en Castilla la Vieja.* (p) *Si se
contasse la del Tom. II. serìan tres las Salidas
de Don Quijote. Pero Cervantes habla suponiendo no estàr publicado sino el Primero.*
(q) *Esto es, Miguèl de Cervantes Saavedra.*

que saliò el Primer Tomo de la Historia de
Don Quijote, este Cavallero Andante empezò a arrinconar a todos los demas; i despues
que saliò el Segundo Tomo, en el Año 1615.
fuè tan grande, i tan universal el aplauso que
mereciò esta Obra, que mui pocas han logra-
do en el Mundo tanta, tan general, i tan
constante aprovacion. Porque ai Libros que
solo se estiman, porque su estilo es Texto para las Lenguas muertas: otros, a quienes hicieron cèlebres las circunstancias del tiempo;
i passadas aquellas, cessò su aplauso: otros,
que siempre se aprecian por la grandeza del
assunto. I los de Cervantes, teniendole ridiculo, siendo ahora menos estendido el Dominio Español, i estando escritos en lengua
viva reducida a ciertos lìmites, viven, i triun-
fan a pesar del olvido: i son hoi en el Mundo
tan necessarios, como quando salieron a luz
la primera vez; porque despues que Francia
con la feliz proteccion de Luis XIV. llegò a
la cumbre del saber, empezò a descaecer, i
faltando Letrados semejantes a Sirmondo,
Bossuet, Huet, i a otros Varones como ellos,
de immortal memoria; comenzò a prevale-
cer el espiritu Novelero: i ha cundido de
manera la aficion a las Fabulas, que sus Dia-
rios Literatos estàn llenos de ellas; i de Francia

cia apenas nos vienen otros Libros. El daño
que caufaron en otro tiempo femejantes Fabulas fuè tan grande, que fe puede llamar
univerfal. Por eſſo aquel juicioſiſſimo Cen-
for de la Republica Literaria, Juan Luis Vives, quejandoſe graviſſimamente de las cor-
rompidas coſtumbres de ſu tiempo decia: (r)
Què manera de vivir es èſta, que no ſe tenga
por cancion la que no ſea torpe? Conviene pues
que las Leyes, i los Magiſtrados dèn providen-
cia contra eſto, i tambien contra los Libros
peſtilenciales; quales ſon en Eſpaña, Amadìs,
Eſplandian, Floriſando, Tirante, Triſtàn: a
cuyos deſpropoſitos no ſe pone termino: cada
dia ſalen de nuevo mas, i mas: como Celeſtina
Alcahueta, madre de maldades, Carcel de Amo-
res. En Francia, Lanzarote del Lago, Parìs,
i Viena, Puntho, i Sidonia, Pedro Proenzal,
i Magalona, Meliſendra, Dueña inexorable.
Aqui en Flandes (eſcrivia Vives en Brujas,
Año 1523.) *Florian, i Blanca Flor, Leonela,*
i Canamor, Curias, i Floreta, Piramo, i Tiſ-
be. Ai algunos Libros traducidos de Latin en
Lenguas vulgares, como las deſgraciadiſ-
ſimas Gracias de Pogio, Eurialo, i Lucrecia,
                                            las

(r) *De Chriſtiana Fœmina,* lib. 1. Cap. *Qui*
non legendi Scriptores, qui legendi.

(1) *las cien Novelas de Bòcacio.* Todos los quales Libros escrivieron unos hombres ociosos, mal
empleados, imperitos, entregados a los vicios,
i a la porquería. En los quales me maravillo
que aya cosa que deleite. Pero las cosas malas
nos alhagan mucho. Medicina pues mui eficàz
fuè la que aplicò el ingeniosissimo Cervantes, pues purgò los animos de toda Europa,
de tan envejecida aficion a semejantes Libros tan pegajosos. Buelva pues a salir Don
Quijote de la Mancha , 'i desengañe un Loco
a muchos Locos voluntarios : divierta un
Discreto, como Cervantes, a tantos ociosos,
i melancolicos, con la entretenida, i apacible
letura de sus artificiosos , i graciosissimos
Libros. Sobre los quales suele aver duda qual
de los dos Tomos es el mejor: el que contiene la Primera , i Segunda Salida de Don
Quijote; ò la Tercera?

93   Yo quiero que la decission de esta
question tan critica, no sea mia, sino del mismo Cervantes, el qual aviendo oìdo el juicio
que algunos anticipadamente avian hecho,
introdujo este Coloquio entre Don Quijote
de la Mancha, el Bachiller Sanson Carrasco,
i

(1) *Novela de Eneas Silvio , siendo mero Beneficiado, retratada despues en su Epist.*
39ξ.

i Sancho Panza. (t) *Por ventura*, dijo Don Quijote, *promete el Autor* (Esto es, Cide Hamete Benengeli) SEGUNDA PARTE? *Si promete*, respondió Sanson; *pero dice*, (u) *que no ha hallado, ni sabe quien la tiene: i assi estamos en duda, si saldrà, o no. I assi por esto, como porque algunos dicen, nunca Segundas Partes fueron buenas: i otros: de las cosas de Don Quijote bastan las escritas: se duda que no ha de aver Segunda Parte. Aunque algunos, que son mas Joviales, que Saturninos, dicen: Vengan mas Quijotadas. Embista Don Quijote, i hable Sancho Panza, i sea lo que fuere; que con esso nos contentamos. I a què se atiene el Autor?* dijo Don Quijote. *A què* respondió Sanson: *En hallando que hàlle la Historia que và buscando con extraordinarias diligencias, la darà luego a la estampa, llevado mas del interès, que de darla se le sigue, que de otra alabanza alguna. A lo que dijo Sancho: Al dinero, i al interès mira el Autor? Maravilla serà que acierte: porque no harà sino barbar, barbar, como Sastre en visperas de Pasquas; i las Obras que se hacen apriessa, nunca se acaban con la perfeccion que requieren. Atienda esse Señor Moro, o lo que es, a mirar lo que hace, que Yo, i mi Señor le darèmos tanto*

(t) *Tom.II.cap.4.* (u) *Vease el fin del Tom.I.*

to ripio a la mano, en materia de aventuras, i
de sucessos diferentes, que pueda componer, no
solo SEGUNDA PARTE, sino ciento. Deve
de pensar el buen hombre sin duda, que nos
dormimos aqui en las pajas: pues tenganos el
pie al errar, i verà del que cosqueamos. Lo que
Yo sè decir, es, que si mi Señor tomasse mi consejo, ya aviamos de estar en essas Campañas
deshaciendo agravios, i enderezando tuertos,
como es uso, i costumbre de los buenos Andantes
Cavalleros. En cuyo Coloquio quiso Cervantes darnos a entender, que tenia ingenio para la invencion, no solo de uno, sino de cien
Quijotes. La del Segundo Tomo no es menos agradable, que la del Primero: i la enseñanza es mucho mayor. Fuera de esto en la
narracion principal no entremetiò Novela
alguna totalmente separada del assunto: lo
qual es mui contra el Arte de fabular; sino
que diestramente ingiriò muchos Episodios
mui bien enlazados con el principal assunto:
cosa que pide gran ingenio, i singular habilidad. Oigamos otra vez al mismo Cervantes. (x) *Dicen que en el propio Original de esta*
Historia se lee, que llegando Cide Hamete a
escrivir este Capitulo, no le traduxo su In-
terprete como èl le avia escrito, que fuè un modo
de

(x) *Tom. II. cap.* 44.

de queja que tuvo el Moro de sì mismo, por
aver tomado entre manos una Historia tan
seca, i tan limitada como esta de Don Quijote,
por parecerle, que siempre avia de hablar dèl,
i de Sancho, sin osar estenderse a otras Digres-
siones, i Episodios mas graves, i mas entretenidos; i decia, que el ir siempre atenido el entendimiento, la mano, i la pluma a escrivir de
un solo sugeto, i hablar por las bocas de pocas
personas, era un trabajo incomportable, cuyo
fruto no redundaba en el de su Autor; i que
por huir de este insonveniente avia usado en la
PRIMERA PARTE del artificio de algunas
Novelas, como fueron la del CURIOSO
IMPERTINENTE, i la del CAPITAN
CAUTIVO, que estàn como separadas de la
Historia, puesto que las demas, que alli se cuentan, son casos sucedidos al mismo DonQuijote,
que no podian dejar de escrivirse. Tambien
pensò, como èl dice, que muchos, llevados de la
atencion que piden las bazañas de Don Quijote, no la darian a las Novelas, i passarian por
ellas, o con priessa, o con enfado, sin advertir
la gala, i artificio que en sì contienen; el qual
se mostràra bien al descubierto, quando por
sì solas, sin arrimarse a las locuras de Don
Quijote, ni a las sandeces de Sancho, salieran
à luz. I assi en esta SEGUNDA PARTE

I

no quiſo ingerir Novelas ſueltas, ni pegadizas, ſino algunos Epiſodios que lo padecieſſen, (y) nacidos de los miſmos ſuceſſos, que la verdad ofrece, i aun eſtos limitadamente, i con ſolas las palabras que baſtan a declararlos. I pues ſe contiene, i cierra en los eſtrechos limites de la narracion, teniendo habilidad, ſuficiencia, i entendimiento para tratar del Univerſo todo, pide no ſe deſprecie ſu trabajo, i ſe le dèn alabanzas, no por lo que eſcrive, ſino por lo que ha dejado de eſcrivir. Los que dicen pues que Cervantes en ſu SEGUNDA PARTE no ſe igualò a sì miſmo; ſepan que ſu opinion nace, o de la tradicion de los que enamorados de la PRIMERA, penſaron que no podia tener SEGUNDA, o de ſu poca inteligencia; pues echan menos en èſta los que el miſmo Cervantes confeſsò, que en la otra avian ſido defectos del Arte, o licencias del Artifice, para deſahogo de ſu imaginacion, i divertimiento de la del Letor.

94   En medio de tantas, i tan juſtas alabanzas, aſsi de la admirable invencion de Cervantes, como de ſu prudente diſpoſicion, i ſingular Eloquencia; como el que eſcrive es uno, i los que leen muchos; i la atencion del

(y) *Eſto es, que parecieſſen Novelas, como verdaderamente lo ſon.*

del Autor , ocupada en inventar , tal vez sè
deja transportar de la viveza de su imaginacion ; i siendo èsta demasiadamente fecunda,
la misma multitud de circunstancias suele hacer que èstas no se conformen entre sì , o no
convengan al tiempo , o al lugar en que se
fingen ; no es mucho que Miguèl de Cervantes Saavedra tropezasse algunas veces con la
inverosimilitud , i falsedad: en lo qual tiene
Cervantes por compañeros a quantos han
escrito hasta hoi Obras en que la invencion
aya sido dilatada ; pues en todas ellas se hallan semejantes descuidos. Bien lo conociò
el mismo Cervantes , pues aviendole censurado algunas cosas de las que avia escrito en
su TOMO PRIMERO , confessò sus descuidos en los *Capitulos Tercero* , *Quarto* , i
Quarenta i tres de su TOMO SEGUNDO,
donde borrò muchos de sus yerros con la
misma ingenuidad de tenerlos por tales ; i
procurò dorar algunos de ellos con tan graciosas disculpas , que la misma defensa es un
nuevo, i glorioso genero de confession. Tan
generoso pues era su genio , que si viviesse
hoi, i le propusieran nuevas censuras ; como
fuessen justas , ciertamente se darìa por bien
advertido.

95   Con la confianza pues que me dà el

ser

ser Yo uno de los mas apasionados, me atreverè à decir , que en algunos casos excediò
los limites de la verosimilitud, i tal vez tocò
en los de una manifiesta falsedad. Porque en
la celebre pendencia que tuvo con el Vizcaìno Don Sancho de Aspeitia , en suposicion
de que Don Quijote le arremetiò con deter-
minacion de quitarle la vida; es inverosimil
que el Vizcaìno, que tendrìa ocupada la mano siniestra con las riendas de su mula, no solo tuviesse tiempo para sacar la espada con
la derecha ; sino tambien para tomar una al-
mohada del Coche , que le sirviò de escudo:
pues los que ivan en el Coche, naturalmente
estarìan sentados sobre ella: I quando assi no
fuesse , siempre tiene su dificultad , que pudiesse el Vizcaìno tomarla tan aprisa, dando
lugar à todo esto la furia de un loco.

96   Tambien me parece inverosimil, que
Camila, que en la *Novela del Curioso Impertinente* se finge que hablava à solas , i consigo misma, hablasse tanto , i de manera, que
Anselmo, que estava escondido, pudiesse oìr
un tan largo soliloquio. Pues si los Comicos
de mayor arte introdugeron en sus Comedias
algunos soliloquios , fuè para que los mirones se instruyessen en los pensamientos ocultos de las personas de la Fabula; pe-

ro

ro no para que las personas introducidas es-
cuchassen tan prolijas arengas.

97   El Razonamiento que hizo Sancho
Panza a su Amo Don Quijote, referido en
el *Capitulo* 8. *del Tomo II.* ciertamente excede la capacidad de un hombre tan senci-
llo, como Panza. No harè cargo a Cervantes de la poca verosimilitud con que escriviò
lo que se sigue. (z) *Este Ginès de Passamonte,*
a quien Don Quijote llamaba Ginesillo de Pa-
rapilla, fuè el que burtò a Sancho Panza el
Rucio, que por no averse puesto el còmo, ni el
quando en la Primera Parte *por culpa de los*
Impressores; ba dado enque entender a muchos,
que atribuìan a poca memoria del Autor la
falta de la Emprenta. Pero en resolucion, Gi-
nès le burtò, estando sobre el durmiendo San-
cho Panza, usando de la traza, i modo que usò
Brunelo, quando estando Sacripante sobre Al-
braca, le sacò el Caballo de entre las piernas, i
despues le cobrò Sancho, como se ba contado.
Digo que no harè cargo à Cervantes de que
esta invencion tiene mas de possible, que de
verosimil; porque se vè que Cervantes tirò
en esto a reprehender a los Autores, que suelen disculpar sus errores en los descuidos de
los Impressores, sin advertir que los de estos

I 3   so-

(z) *Tom. II. cap.* 27.

solo suelen reducirse a trocar letras, o palabras, i a omitir tal vez algunas clausulas. I
en lo que toca a la salida del modo, i tiempo
en que Ginesillo de Passamonte hurtò el Rucio; parece, sino conozco mal el genio de
Cervantes, que su fin solo fuè reirse de la
invencion del modo de hurtar el Cavallo de
Sacripante.

98   Pero no sè Yo como poder disculpar
la ficcion (a) de que en un Lugar de Aragòn
de mas de mil vecinos durasse ocho, o diez
dias (b) la publicidad de tener un Governador de burlas. Si esto es verosimil, los Ara-
goneses lo digan. Lo que Yo sè es, que no
aviendo en Aragòn caberna alguna, que tenga de largo media legua; es contra toda verdad aver fingido, que Sancho Panza anduvo
por ella todo esse trecho, hasta parar en un
lugar donde Don Quijote desde arriba oyò
sus lamentos. (c)

99   Tampoco sè como poder disculpar
el que aviendo dicho Cervantes, (d) que la
fama avia guardado en las memorias de la
Mancha, que Don Quijote la tercera vez que
saliò de su casa, fuè a Zaragoza, donde se hallò

(a) *Tom. II. cap.* 50.   (b) *Tom.II. cap.*
55.   (c) *En el mismo capitulo.*   (d) *En el fin
del Tomo Primero.*

-llò en unas famosas Justas, que en aquella Ciudad hicieron, i allì le passaron cosas dignas de su valor, i buen entendimiento ; despues Cervantes en su Continuacion, dice, (e) que Don Quijote no pondria los pies en Zaragoza , por sacar mentiroso al Historiador moderno, siendo assi, que en hacerle ir a las Justas de Zargoza, huviera seguido a la fama.

100   Menos disculpa tiene aver llamado Cervantes JUANA GUTIERREZ a la muger de Sancho Panza, (f) o JUANA PANZA, que es lo mismo , porque se usa en la Mancha tomar las mugeres el apellido de sus maridos; (g) i reprehender al Continuador Aragonès, (h) porque no sin alguna razon (i) la llamò MARI GUTIERREZ; i llamarla despues el mismo Cervantes en todo su *Segundo Tomo* TERESA PANZA. Aunque Yo creo que esto picò en Historia verdadera. (k)

101   Fuera de todo esto, qualquiera que se entretenga en formar un Diario de las Salidas de Don Quijote , hallarà la cuenta de Cervantes mui errada, i nada conforme a los sucessos referidos.

I 4   En

(e) *Cap.* 5. (f) *Tom. I. cap.* 7. (g) *Tom. I. cap. ultim.* (h) *Tom. II. cap.* 5. *i ult.* (i) *Vease el Tom. I. cap.* 7. *en el fin.* (k) *Observese el pr̃ del Tom. I.*

102 En una cosa deve ser tratado Cervantes con algun rigor, i es en los Anacronismos, o retrocedimientos de tiempo; porque aviendolos reprehendido tan justamente en sus contemporaneos Comicos;(l) tambien en èl deven ser censurados. Señalarè algunos de estos defetos.

103 Pero para que se entienda mejor lo que voi a decir, es menester suponer, que ha sido costumbre de muchos que han publicado Libros de Cavallerias, querer autorizarlos, diciendo, que se avian hallado en alguna parte, escritos con letras mui antiguas dificiles de leer. Assi Garci-Ordoñez de Montalvo, Regidor de Medina del Campo, despues de aver dicho que avia corregido LOS TRES LIBROS DE AMADIS, que por falta de los malos Escritores, o Componedores se leian mui corruptos, i viciosos; immediatamente añadiò, que publicava aquellos Libros, *trasladando, i emendando* EL LIBRO QUARTO *con* LAS SERGAS DE ESPLANDIAN *su hijo, que hasta aqui no es en memoria de ninguno ser visto; que por gran dicha pareciò en una Tumba de piedra, que debajo de la tierra en una Hermita cerca de Constantinopla fuè hallado, i traido por un*

Un-

(l) *Tom. I. cap. 47.*

Ungaro Mercader a estas partes de España, en
la letra, i pergamino tan antiguo, que con mucho trabajo se pudo leer por aquellos que la
Lengua sabian. Imitando en esto Cervantes
a Garci-Ordoñez de Montalvo, dijo: (m) Que
la buena suerte le deparò un antiguo Medico,
que tenìa en su poder una Caja de plomo, que
segun él dijo, se avia hallado en los cimientos
derribados de una antigua Hermita, que se re-
novava, en la qual Caja se avian hallado unos
Pergaminos, escritos con Letras Gothicas; pero
en Versos Castellanos, que contenìan muchas de
sus hazañas, (Esto es, de D. Quijote) i davan
noticia de la hermosura de Dulcinea del Toboso, de la figura de Rocinante, de la fidelidad de
Sancho Panza, i de la sepultura del mismo D.
Quijote, con diferentes Epitafios, i Elogios de
su vida, i costumbres. Escrivìa esto Cervantes
en el año 1604 i lo imprimiò en el siguiente.
Dejo al arbitrio del juicioso Letor determinar la edad en q̃ segun las referidas circunstancias se finge que viviò Don Quijote de la
Mancha. Referir un antiguo Medico el hallazgo de los Pergaminos, donde estaban los Epitafios de Don Quijote; averse hallado en los
cimientos derribados de una antigua Hermita; i estàr escritos en Letras Goticas, cuyo
uso

(m) *Vease el Tom. I. cap. ult.*

uſo ſe prohibiò en Eſpaña en tiempo del Rei
Don Alonſo el Sexto; (n) todas ſon circunſtancias que arguyen el paſſage de algunos Siglos. I eſto miſmo ſupone un diſcurſo de
Don Quijote, tan ocultamente erudito, como
gracioſamente diſparatado. (o) *No ban vueſ-*
tras Mrds. leido, reſpondiò Don Quijote, los
Analès, è Hiſtorias de Inglaterra, donde ſe
tratan las famoſas fazañas del Rei Arturo,
que continuamente en nueſtro Romance Caſ-
tellano llamamos el Rei Artùs, de quien es
tradicion antigua, i comun en todo aquel Rei-
no de la Gran Bretaña, que eſte Rei no muriò,
ſino que por arte de encantamiento ſe convir-
tiò en Cuervo, i que andando los tiempos ba de
bolver a Reinar, i a cobrar ſu Reinò, i Cetro?
A cuya cauſa no ſe provarà, que deſde aquel
tiempo a eſte aya ningun Inglès muerto Cuer-
vo alguno. Pues en tiempo de eſte buen Rei fuè
inſtituida aquella famoſa Orden de Cavalle-
ria de los Cavalleros de la Tabla Redonda, i
paſſaron, ſin faltar un punto, los Amores que
allì ſe cuentan de Don Lanzarote del Lago,
con la Reina Ginebra, ſiendo medianera de
ellos, i ſabidora aquella tan honrada Dueña
Quintañona, de donde naciò aquel tan ſabido
Romance, i tan decantado en nueſtra Eſpaña,
de:

　　　　　　　　　　　　　　　　Nun-

(n) Roderic. Toletan. l. 6. c. 30. (o) Tom. I. c. 13.

Nunca fuera Cavallero
De Damas tan bien servido,
Como fuera Lanzarote,
Quando de Bretaña vino.

Con aquel progresso tan dulce, i tan suave de sus amorosos, i fuertes fechos. Pues desde entonces, de mano en mano, fuè aquella Orden de Cavallerìa estendiendose, i dilatandose por muchas, i diversas partes del Mundo. I en ella fueron famosos, i conocidos por sus fechos el valiente *Amadìs de Gaula*, con todos sus Hijos, i Nietos, hasta la quinta generacion; i el valeroso *Felix Marte de Hircania*; i el nunca, como se deve, alabado *Tirante el Blanco.* (p) I casi que EN NUESTROS DIAS vimos, i comunicamos, i oimos al invencible, i valeroso Cavallero Don *Belianìs de Grecia.* Esto, pues, Señores, es ser Cavallero Andante; i la que he dicho, es la Orden de su Cavallerìa. Si Don Quijote pues fuè tan vecino al tiempo en que se fingiò aver vivido Don Belianìs de Grecia, i la demàs caterva de Cavalleros Andantes; aviendose referido estos a los siglos immediatos al origen del Christianismo, como lo observò, i censurò el Erudito Autor del

(p) *El mismo Cervantes le alava mucho,* lib. i. cap. 6. *Pero Vives le vitupera con todos sus semejantes.*

del *Dialogo de las Lenguas*; (q) es consiguiente que Don Quijote de la Mancha se finja aver vivido muchos siglos ha. Còmo pues Cervantes supone introducido ya en tiempo de Don Quijote el uso de los Coches? (r) siendo assi que Gonzalo Fernandez de Oviedo en su *Adicion*, o *Segunda Parte a los Oficios de la Casa Real*, *Titulo del Cavallerizo de las Andas*, dice, que la Princesa Margarita quando vino a casar con el Principe Don Juan, trajo el uso de los Carros de quatro ruedas, i que aviendose buelto viuda a Flandes, cessaron tales Carros, i quedaron las Literas, que antes se usavan. Aun en Francia, de donde nos vino esta moda, como casi todas las demas, no es mui antiguo el uso de los Coches: porque Juan de Laval Boisdaufin, de la Casa de Memoransi, fuè el primero que a lo ultimo del Reinado de Francisco Primero se sirviò de un Coche por causa de su corpulencia, que era tal, que no le permitia ir a cavallo. Debajo del Reinado de Henrique Segundo solo avia en la Corte de Francia dos Coches, uno para la Reina su muger, i otro para Diana, Hija natural del Rei. En la Ciudad de Parìs, aviendo sido nombrado

Pri-

(q) *Pagina* 161. (r) *Tom. I. cap.* 8. & 9. & *Tom. II. cap.* 36. & 48. & 50.

Primer Presidente Christoval de Thou , fuè
el primero que tuvo Coche ; pero nunca se
sirviò dèl para ir a la Casa Real. Estos exem-
plos , que introdujo la grandeza , o necessidad , fueron luego tan perniciosos , que llegò la vanidad al ultimo grado. Por lo que
toca a España , escriviendo de esto Don Lorenzo Vander Hamen i Leon , en el *Libro*
Primero de la Vida de Don Juan de Austria,
dijo estas bien sentidas palabras. *Venia* (Char-
les Pubest , Criado del Rei Emperador Carlos Quinto) *en un Coche , o Carrocilla de las*
ŷ en aquellas Provincias se usavan. Cosa raras
veces vista en èstos Reinos. Salian las Ciudades
enteras a verla con admiracion. Tan corta no-
ticia se tenìa por entonces de este genero de de-
leite. Solo lo que usavan eran Carretas de bue-
yes , i en ellas andavan las Personas mas gra-
ves tal vez. Don Juan (porque no traigamos
egemplos de fuera de casa) *fuè muchas a visi-*
tar el Templo de Nuestra Señora de Regla (Lo-
reto de *Andalucìa*) *en una de estas en compa-*
ñia de la *Duquesa de Medina. Esto se usava*
en aquel tiempo. Pero dentro de pocos años (el
de setenta i siete) *fuè necessario prohivir los*
Coches por Pragmatica. Tan introducido se ha-
llava ya èste vicio infernal, que tanto daño ba
causado a Castilla. Para pintar èste abuso Miguèl

guèl de Cervantes, hizo que Teresa Panza, Muger de un pobre Labrador, manifestasse deseos de servirse de Coche, solo por imaginar que su Marido era Governador de la Insula Barataria: assi como para reirse de algunos Grados de Dotor, que se davan en su tiempo, i que devian suponer, pero no hacian a los hombres doctos; hizo mencion de algunos Licenciados Graduados en las Universidades de Siguenza, (f) i Ossuna, (t) en tiempo de Don Quijote; siendo assi que por consejo del Cardenal Gimenez de Cisneros erigiò la de Siguenza Don Juan Lopez de Medina, Consegero de Henrique Quarto, i su Embiado en Roma, Arcediano de Almazàn, Dignidad de la Cathedràl de Siguenza, i Canonigo de Toledo: i mas adelante en el Año 1548. fundò la de Ossuna con aprovacion de Carlos Quinto, i Paulo Tercero, Don Juan Tellez Giron, Conde de Ureña. Si Cervantes viviesse hoi; sobre èste punto de los Grados diria algo mas. Pero sea su Comentador Don Diego de Saavedra en su *Republica Literaria.*

104 Fuè tambien falta de atencion aludir en el supuesto tiempo de Don Quijote al Con-

(f) *Tom. I. cap. 1.* (t) *Tom. II. cap. 1.*
i 47.

Concilio de Trento, (u) que empezò a cele-
brarse Año 1545. siendo Pontifice Paulo III.
i se acabò en tiempo de Pio IV.

105 Tambien Cervantes hizo mencion
de la America en boca del Cura, (x) antes
que Americo Vespucio, Florentin, el Año
1497. huviesse puesto los pies en ella dandole su nombre, siendo en esto mas feliz que
Christoval Colon, Ginovès, que fuè su primer descubridor, Año 1592.

106 Ni devia aver hecho mencion de
Fernan Cortès, (y) ni de la destreza de los
Ginetes Megicanos, (z) antes que en el Mundo huviesse Cortès, Conquistador de Megico,
i que en tal Ciudad huviesse avido Cavallos.
Nombrò tambien el famoso Cerro del Poto-
sì, (a) antes que descubriesse sus prodigiosas venas de plata aquel barbaro Cazador.
(b) I la voz *Cacique* (c) venida de la Isla Española (d) no devia ponerse en boca de Sancho Panza. (e)

Fue-

(u) *Tom. I. cap. 19. & Tom. II. cap. 56.* (x)
Tom. I. cap. 48. (y) *Tom. II. cap. 8.* (z) *Tom. II.
cap. 10.* (a) *Tom. II. cap. 40. & 71.* (b) *Miniana
de Reb. Hisp. lib. 4. cap. 8.* (c) *Tom. II. cap. 35.*
(d) *Primera Parte del lib. 2. de la Historia de
la Florida, cap. 10. del Inca Garci-Lasso de la
Vega.* (e) *Tom. II. cap. 35.*

107 Fuera de esto siendo tan reciente la
Impression, no avia de suponer su uso en
tiempo de Don Quijote: (f) ni hacer mencion de tantos Autores modernos, assi Estrangeros, como Españoles. Estrangeros,co-
mo Ariosto, (g) Miguèl Verino, (h) Jacobo
Sannazaro, (i) Antonio de Lofraso, Poeta
Sardo, (k) Polidoro Virgilio, (l) i otros. Españoles, como Garci-Lasso de la Vega, a
quien unas veces alaba expressamente, (m)
otras alega sus Versos, sin nombratle, (n) i
otras alude a el claramente.(o) De Juan Boscan, Poeta contemporaneo, i mui amigo de
Garci-Lasso, dice Dom Quijote: (p) *El antiguo Boscan se llamò Nemoroso*: en lo qual
errò de muchas maneras, llamando *Antiguo
a Boscan*; i aludiendo a la Primera Ecloga
de Garci-Lasso de la Vega.

108 El mismo Don Quijote, hablando
mui discretamente de la comun desgracia de
las Traducciones, dice: (q) *Fuera desta cuenta*

(f) *Tom.I. cap. 6. i en otros muchissimos* (g)
Tom.I.cap.6. Tom.II. cap.1. & 62. (h) *Tom.
II. cap. 33.* (i) *Tom. II. cap. 67.* (k) *Tom. I.
cap.6.* (l) *Tom.II.cap.22.* (m) *En el mismo Ca-
pitulo.* (n) *Tom.II.cap.6.& 58.& 70.* (o) *Tom.
II.cap.8.& 18.* (p) *Tom.II.cap.67.* (q) *Tom.
II. cap. 63.*

ta van los dos *famosos Traductores*, el uno el
Dotor Christoval de Figueroa en su PASTOR
FIDO: i el otro *Don Juan de Jauregui en su*
AMINTA, *donde felizmente ponen en duda,*
qual es la Traducion; o qual el Original. I se
ha de advertir, que el Dotor Suarez de Fi-
gueroa publicò el PASTOR FIDO, Tragi-
Comedia Pastoral de Bautista Guarini, en
Valencia, Año 1609, en la Oficina de Pedro
Patricio Mèi; i Don Juan de Jauregui EL
AMINTA, Comedia Pastoril de Torquato
Tasso, en Sevilla, por Francisco Lira, Año
1618. en 4.

109 Tambien una Pastora, hablando
con Don Quijote, nombrò con anticipacion
de tiempo a Camoes, celebrandole como
Poeta excelentissimo en su misma Lengua
Portuguesa. (r) Que fuè lo mismo que reprehender las Traducciones Castellanas de Luis
Gomez de Tapia, de Benito Caldera, i de
Henrique Garcès, para que se vea la dificultad que tienen las Traducciones; pues dos
tan semejantes dialectos de una misma Lengua no son iguales en la expression, i har-
monìa.

110 En el celebrado *Capitulo Sexto del*
Tomo Primero, suponiendose el Escrutinio

K   en

(r) *Tom. II. cap.* 58.

en tiempo de Don Quijote , se hacen Criticas de las Obras de Jorge de Montemayor, Gil Polo , Lopez Maldonado , Don Alonso de Ercilla , Juan Rufo, Christoval de Viruès, i aun de la GALATEA del mismo Cervantes.

111   Tambien hace èste mencion (s) de las Obras del Obispo de Avila, Don Alonso Tostado , (t) natural de Madrigal , de donde quiso llamarse , el qual naciò cerca de los años del Señor mil quatrocientos , i muriò en Bonilla de la Sierra a tres de Setiembre de 1455. (u) Cita el Dioscorides ilustrado por el Dotor Laguna, impresso en Salamanca Año 1586. i los Refranes del Comendador Griego , (x) publicados en la misma Ciudad, Año 1555. Tambien las Sumulas de Villalpando , (y) siendo assi que el Dotor Gaspar Carrillo de Villalpando las imprimiò en Alcalà , Año 1599.

112   Las Obras que censurò Cervantes sin nombrar sus Autores, casi todos coctaneos suyos , son muchissimas. Me contentarè con apuntar algunos egemplos.

113   Hablando de la Traduccion , que hizo de Ludovico Ariosto , Don Geronimo
de

(s) *Tom. I. cap.* 18.   (t) *Tom. I. cap.* 3.
(u) *Historia del Rei Don Juan el Segundo*
(x) *Tom. II. cap.* 34. (y) *Tom. I. cap.* 47.

de Urrea, la qual saliò a luz en Leon de Francia, impressa en 4. por Guillermo Roville, Año 1556. dice en nombre del Cura: (z) *Le perdonàramos al señor Capitan, que no le huviara traido a España, i hecho Castellano: que le quitò mucho de su natural valor. I lo mesmo harán todos aquellos que los Libros de Verso quisieron bolver en otra Lengua, que por mucho cuidado que pongan, i habilidad que muestren, jamas llegarán al punto que ellos tienen en su primer nacimiento.* De donde puede inferirse quanto mas insipidas serán las dos Traducciones que hicieron en prosa, i publicaron dos Toledanos: el uno Fernando de Alcocèr, Año 1510. el otro Diego Vazquez de Contreras, Año 1585. Entrambos tan malos, como fieles interpretes de la Letra de Ariosto. Mas adelante hablando el Cura de las tres *Dianas*; es a saber, de la de Jorge de Montemayor, que tiene *Primera, i Segunda Parte*, publicada en Madrid por Luis Sanchez, Año 1545. en 12. de la de Alfonso Perez, Dotor en Medecina, conocido por el nombre de *Salmantino*, la qual saliò a luz en Alcalà, Año 1564. en 8. i de la de Gaspar Gil Polo, impressa en Valencia, Año 1564. hablando, digo, el Cura de las tres

K 2

(z) *Tom.* I. *cap.* 6.

tres *Dianas*, dice aſsi : I pues *comenzamos*
por la Diana de Montemayor , ſoi de parecer,
que no ſe quème , ſino que ſe le quite todo aque-
llo , que trata de la ſabia Felicia , i de la agua
encantada , i caſi todos los Verſos mayores , i
quèdeſele en bora buena la proſa , i la honra
de ſer primero en ſemejantes Libros. Eſte que
ſe ſigue , dijo el Barbero , es La Diana , llamada Segunda del Salmantino , *i èſte otro , que*
tiene el meſmo nombre, cuyo Autor es Gil Po-
lo. Pues la del Salmantino , reſpondiò el Cura,
acompañe , i acreciente el numero de los conde-
nados al Corral ; i la de Gil Polo ſe guarde,
como ſi fuera del miſmo Apolo. Poco mas adelante proſiguiò el Barbero , diciendo : *Eſtos*
que ſe ſiguen , ſon el Paſtor de Iberia , Ninfas
de Henares , i Deſengaños de Celos. *Pues no*
ai mas que hacer , dijo el Cura , ſino entregar-
los al brazo ſeglar del Ama , i no ſe me pre-
gunte el por què , que ſeria nunca acabar. El
Autor de *Deſengaños de Celos* , no sè quien
fuè. De *El Paſtor de Iberia* , lo fuè Bernardo
de la Vega , natural de Madrid , Canonigo de
Tucumàn en la America Meridional , i le imprimiò Año 1591. en 8. Bernardo Perez de
Bobadilla fuè el que eſcriviò la Novela: *Nin-*
fas , i Paſtores de Henares , i la publicò Año
1587. en 8. Aludiendo Cervantes a èſtas dos
cen-

censuras, i queriendo dar a entender, que
en el *Viage del Parnaso*, (en el qual fingiò,
que concurrieron cafi todos los Poetas de
España) avìa alabado a muchos fegun la fama popular ; introdujo un Poeta defconten-
to, haciendole cargo por la omifsion de eftos dos Poetas, i la cenfura que les hizo.
Reprehende dicho Poeta a Cervantes de efte
modo. (a)

> *Yo te confieffo, o Barbaro, i no niego,*
>   *Que algunos de los muchos que efcogifte*
>   (*Sin que el refpeto te forzaffe, o ruego*)
> *En el devido punto los pufifte.*
>   *Pero con los demàs, fin duda alguna,*
>   *Prodigo de alabanzas anduvifte.*
> *Has alzado a los Cielos la fortuna*
>   *De muchos que en el centro del olvido,*
>   (*Sin vèr la luz del Sol, ni de la Luna*)
> *Yacìan. Ni llamado, ni efcogido*
>   *Fuè el grã Paftor de Iberia, el grã Bernardo,*
>   *Que de la Vega tiene el apellido.*
> *Fuifte embidiofo, defcuidado, i tardo,*
>   *I à las Ninfas de Henares, i Paftores,*
>   *Como a enemigos les tirafte un dardo.*

Mas adelante pufo Cervantes entre los Poetas del Viage del Parnafo a Bernardo de la Vega; pero entre los malos Poetas diciendo afsi:

Lle-

(a) *En el cap.* 4.

Llegò el Pastor de Iberia, aunque algo tarde,
I derribò catorce de los nuestros,
Haciendo de su ingenio, i fuerza alarde.

114 Continuandose el Escrutinio de los
Libros de Don Quijote, dijo el Barbero:
Este que viene es EL PASTOR DE FILIDA.
No es esse Pastor, dijo el Cura, sino mui dis-
creto Cortesano. (Habla de Luis Galvez de
Montalvo, que publicò su *Pastor de Filida*
en Madrid Año 1582.) *Guardese como joya*
preciosa. Este grande, que aqui viene, se in-
titula, dijo el Barbero, Thesoro de varias
Poesias. *Como ellas no fueran tantas, dijo el*
Cura, fueran mas estimadas. Menester es que
este Libro se escarde, i limpie de algunas ba-
gezas, que entre sus grandezas tiene. Guarde-
se, porque su Autor es Amigo mio, i por res-
peto de otras mas heroicas, i levantadas Obras
que ha escrito. Este es Fr. Pedro Padilla, natural de Linares, Religioso Carmelita, i antes, segun dicen, Cavallero de la Orden de
Santiago. Entre otras muchas Obras Poeticas, publicò un *Cancionero*, en el qual se
contienen algunos Sucessos de los Españoles
en la Jornada de Flandes. Imprimiòse en Madrid, en casa de Francisco Sanchez, Año
1583. en 8. i Miguèl de Cervantes escriviò
un Soneto en alabanza del Autor.

Ul-

115 Ultimamente , por acabar ſu Eſcru-
tinio,dice Cervantes : *Cansòſe el Cura de vèr
mas Libros , i aſsi a carga cerrada quiſo , que
todos los demàs ſe quemaſſen* ; *pero ya tenia
abierto uno el Barbero , que ſe llamava* : Las
Lagrimas de Angelica. *Lloràralas Yo* , dijo
el Cura , en oyendo el nombre, *ſi tal Libro huviera mandado quemar , porque ſu Autor fuè
uno de los famoſos Poetas del Mundo , no ſolo
de Eſpaña , i fuè feliciſſimo en la Traducion
de algunas Fabulas de Ovidio.* Entiendo Yo
que habla aqui del Capitan Franciſco de Aldana , Alcaide de San Sebaſtian , que muriò
glorioſamente en Africa peleando con los
Moros.cuya glorioſa muerte celebrò en Octavas Rimas ſu hermano Coſme de Aldana,
Gentil Hombre de Felide II. al principio de
ſus Sonetos , i Octavas, que ſe imprimieron
en Milàn Año 1587. en 8. Eſte Coſme de
Aldana imprimiò todas las Obras que pudo
hallar de ſu hermano Franciſco , en Madrid,
en la Imprenta de Luis Sanchez , Año 1593.
en 8. i aviendo recogido deſpues otras muchas , publicò *Segunda Parte* en Madrid , en
la Imprenta de Pedro Madrigal, Año 1591.
en 8 De Franciſco de Aldana dice ſu hermano Coſme , que tradujo en verſo ſuelto *Las
Epiſtolas de Ovidio*,i que compuſo una Obra

De Angelica, *i Medoro*, de inumerables Octavas: i si bien no se imprimieron, porque no se hallaron; porque estas dos Obras venimos en conocimiento de que Cervantes hablò de Francisco de Aldana, i no de Luis Barahona de Soto, de quien tenemos doce Cantos de *La Angelica*, prosiguiendo la invencion de Ariosto. De cuyo Poema dijo Don Diego de Saavedra Fajardo en su admirable *Republica Literaria. Ya con mas luz naciò Luis de Barohona, varon Docto, i de levantado espiritu. Pero sucediòle lo que a Ausonio, que no hallò con quien consultarse. I assi dejò correr libre su vena, sin tiento, ni arte.* Juicio que tambien arguye ser otro el Poeta a quien alabò sin medida Miguèl de Cervantes Saavedra, el qual añade en el Capitulo siguiente: *Se cree que fueron al fuego, sin ser vistos, ni oìdos,* La Carolea, *i* Leon de España, *con* Los Hechos del Emperador, *compuestos por Don Luis de Avila, que sin duda deviàn de estàr entre los que quedavan. I quizà, si el Cura los viera, no passàran por tan rigurosa sentencia.* La Carolea, de que Cervantes hace mencion, puede ser la que Hieronimo Sempere imprimiò en Valencia Año 1560. en 8. Pero mas me inclino a que sea la que publicò en Lisboa, Año 1585. Juan Ochoa

Ochoa de Lasalde; porque hablando Cervantes en su *Viage del Parnaso* de la lista de Poetas que le diò Mercurio, dice assi:

> *Mirè la lista, i vì que era el primero*
> *El Licenciado Juan de Ochoa, amigo,*
> *Por Poeta, i Christiano verdadero.*

116   El Autor de *El Leon de España*, fuè Pedro de la Vecilla Castellanos, naturul de Leon, el qual publicò su Poema, i otras Obras, en Salamanca, Año 1586. en 8. Los *Comentarios de la Guerra de Alemania, hecha por Carlos Quinto*, los escriviò Don Luis de Avila i Zuñiga, Comendador Mayor de Alcantara, Persona a quien el Cesar estimò muchissimo, i a quien dieron grandes Elogios los primeros Escritores de aquella edad.

117   Estos Anacronismos basten en orden a las Personas de Letras. Otros muchos cometiò Cervantes hablando de los que fueron ilustres en las Armas: pues ya supone escrita en tiempo de Don Quijote (b) la Historia del Gran Capitan Gonzalo Hernandez de Cordova, con la Vida de Diego García de Paredes; siendo assi, que aquel muriò en Granada dia dos de Deciembre del Año 1515. agravado de una quartana (para èl infaust-

(b) *Tom.* I. *cap.* 32. *Añadase el cap.* 35. *en el fin.*

fausta) de edad de 62. años ; i éste murió de 64. años en el de 1533. i las Chronicas de ambos se imprimieron en Alcala de Henares, por Hernan Ramirez , Año 1584. en fol.

118　　Tambien introduce a un Cautivo refiriendo , (c) que el Gran Duque de Alva Don Fernando de Toledo, passava a Flandes.

119　El mismo Cautivo dice , que le sirviò en las Jornadas que hizo : que se hallò en la muerte de los Condes de Egmon, i de Hornos : que alcanzò a ser Alferez de un famoso Capitan de Guadalajara, llamado Diego de Urbina. Habla de la perdida de la famosa Isla de Chipre , que ganò Selim II. Año 1571. de la Liga del Santo Pontifice Pio V. con España , contra el enemigo comun : Del General de aquella sagrada Liga , Don Juan de Austria , Hermano natural del Rei Don Felipe II. Dice que se hallò en aquella felicissima Jornada ya hecho Capitan de Infanteria : que se hallò en la memorable Batalla de Lepanto, la qual dieron, i ganaron los Christianos dia siete de Octubre del Año 1572. Alli mismo refiere , como yendo en la Capitana de Juan Andrea de Oria , por aver querido saltar en la Galera de Uchali, Rei de Argèl, desviandose esta, quedò Cautivo. Ponde-

(c) *Tom. I. cap. 39.*

dera su desgracia segun se ha referido en
otra parte. Algo mas adelante celebra a Don
Alvaro de Bazan, Marquès de Santa Cruz, i
al invictissimo Carlos Quinto Cuenta mui
despacio la perdida de la Goleta, i de un pequeño Fuerte, o Torre, que estava en mitad del Estaño, a cargo de Don Juan de Za-
noguera, Cavallero Valenciano, i famoso
Soldado. Dice que cautivaron a Don Pedro
Puerto Carrero, General de la Goleta, i a
Gabrio Cervellon, General del Fuerte: que
murieron en estas dos Fuerzas muchas Personas de cuenta, como Pagan de Oria, Hermano del famoso Juan de Andrea de Oria, i
Don Pedro de Aguilar, Cavallero Andaluz,
el qual avìa sido Alferez en el Fuerte, Soldado de mucha cuenta, i de raro entendimiento: i que especialmente tenìa mucha gracia
en la Poesìa.

120   En otra parte (d) celebra los puña-
les de Ramon de Hoces el Sevillano. Acuer-
da el cuento del Licenciado Torralva. (e)
Hace tambien mencion del fullero Andradi-
lla. (f) I a èste tenor, de otros muchos, cuya memoria era mui reciente. Ai igual en-
sarte de Anacronismos!

Pues

(d) *Tom.* II. *cap.* 23. (e) *Tom.* II. *cap.* 41.
(f) *Tom.* II. *cap.* 49.

121   Pues no pàran aqui. Dice Cervantes, (g) que encontrò Don Quijote unos Recitantes de la Compañia de Angùlo el Malo,
los quales avian hecho aquella mañana, que
era la Octava del Corpus, el Auto *De las*
Cortes de la Muerte, i le avian de repetir
aquella tarde en otro Lugar: donde es digno de censura, que suponga introducidos en
España en tiempo de Don Quijote, los Au-
tos Sacramentales, siendo assi, que la gente de Farsa no se conocìa antes en España, ni
era conforme a la gravedad de las antiguas
costumbres.

122   Tambien supone el uso de enfriar
el agua con nieve, (h) siendo cierto que Pablo Jarquìes fuè el primero que en tiempo
de Felipe Tercero, fuè el Inventor del Tri-
buto de los Pozos de la nieve, aviendo introducido antes en España el modo de guardarla, i de usar de ella, Don Luis de Castel-
vi, Gentil-Hombre de la Boca del Emperador Carlos Quinto, de quien Gaspar Escola-
no, explicandose de la manera que suele, escriviò assi: (i) *A èste Cavallero le deve Es-*
paña el uso de guardar la nieve en casas (por
Casas entiende los Pozos) *en las Sierras don-*
de

(g) *Tom.II.cap.*11.(h) *Tom.II.cap.*58.(i) *His-*
toria de Valencia, *lib.*8.*cap.*28.

de cae, i el modo de enfriar el agua con ella.
Porque no conociendo generalmente otro medio
para esso que el del salmitre; fue el primero
que puso en platica en la Ciudad de Valencia
el manejo de la nieve; que ha sido (de mas de
unico regalo) singular aborro de modorrias,
tavardillos, calenturas pestilentes, i de otras
gravissimas dolencias, que nos davan en las
calores del Verano: i como tal se comunicò poco a poco a lo restante de España el uso de ella:
de donde nos quedò à los Valencianos llamarle
à èste Cavallero Don Luis de la Nieve.

123   San Diego de Alcalá, i San Salva-
dor de Orta se beatificaron en tiempo de
Felipe Tercero, i aludiendo a esso dice Sancho a Don Quijote: (k) Advierta, Señor, que
ayer, o antes de ayer, que segun ha poco, se
puede decir de esta manera, Canonizaron, o
Beatificaron dos Frailecitos Descalzos, cuyas
cadenas de hierro, con que ceñian, i atormen-
tavan sus cuerpos, se tiene aora a gran ventura el besarlas, i tocarlas, i estàn en mas veneracion, que està, segun dige, la Espada de Rol-
dàn en la Armeria del Rei nuestro Señor.

124   En el Reinado de Felipe Tercero fuè
General de las Galeras de la Carrera de Indias Don Pedro Vich, Cavallero Valenciano,

(k) Tom. II. cap. 8.

no, a quien alabò Cervantes en la *Novela de las dos Doncellas*, i señalando a este, con ocasion de referir que Don Quijote entrò en una Galera, dice. (l) *Diòle la mano el General, que con este nombre le llamarèmos, que era un principal Cavallero Valenciano, i abrazò a Don Quijote.*

125   El Edicto ultimo de la expulsion de los Moriscos de España, se publicò en el Año 1611. i Cervantes introduce a un Morisco llamado Ricote, (m) alabando a Don Bernardino de Velasco, Conde de Salazar, a quien diò Felipe Tercero cargo de la expulsion de los Moriscos.

126   Pero què me detengo Yo en amontonar Anacronismos, quando toda la Historia de Don Quijote està llena de ellos i Baste decir, que Sancho Panza puso la fecha de su Carta escrita a Teresa Panza su muger a 20. de Julio de 1614. (n) que quiza seria el mismo dia en que Cervantes la escriviò.

127   Mas con todo esto quiero disculpar quanto pueda a Miguèl de Cervantes Saavedra, diciendo, que como al principio de su Historia dijo, que D. Quijote no avìa mucho tiempo que vivìa en un lugar de la Mancha; siguiò

(l) *Tom.* II. *cap.* 63. (m) *Tom.* II. *cap.* 65.
(n) *Tom.* II. *cap.* 36.

siguiò despues el hilo de esta primera ficcion;
i olvidado de ella en el fin de su Historia, se
propuso imitar a Garci Ordoñez de Montalvo, en el lugar citado, i anticipò el tiempo
de Don Quijote. I assi solo incurriò en este
descuido. O para decirlo mejor, Don Quijote es hombre de todos tiempos, i verdadera
idèa de los que ha avido, ai, i avrà; i assi
se acomoda bien a todos tiempos, i lugares.
I quando los mas severos Criticos no admi-
tan esta disculpa; a lo menos no me negaràn
que estos descuidos, i los demàs que fuera
facil añadir, de falsas alusiones, i equivoca-
ciones, que suelen ser mui frequentes en una
mente algo abstrahìda por la demasiada atencion al principal assunto; por otra parte se
reconpensan con mil perfecciones; pudien-
dose decir con verdad, que toda la Obra es
una Satira la mas feliz, que hasta hoi se ha
escrito, contra todo genero de gentes.

128 Porque, si atendemos al assunto,
quien avia de pensar que por medio de unos
Libros de Cavallerìas se avìan de desterrar
los demas? El caso fuè, que escriviendo con
Invencion, i estilo de todas maneras agradables, se hizo unico en este genero de Escritos, como quien tenia bien conocido en què
avian pecado los demas Escritores; i como
po-

podrìan evitarſe aquellos deſaciertos, cumpliendo al miſmo tiempo con el guſto de los
Letores; i nunca manifeſtò mejor ſu grande
idèa, que quando en boca del Canonigo de
Toledo hablò de eſta manera : (o) ,, Verda-
,, deramente, Señor Cura, Yo hallo por mi
,, quenta, que ſon perjudiciales en la Repu-
,, blica eſtos que llaman Libros de Cavalle-
,, rias. I aunque he leìdo, llevado de un ocio-
,, ſo, i falſo guſto, caſi el principio de todos
,, los mas que ai impreſſos, jamàs me he po-
,, dido acomodar a leer ninguno, del princi-
,, pio al cabo. Porque me parece, que qual
,, mas, qual menos, todos ellos ſon una meſ-
,, ma coſa; i no tiene mas èſte, que aquel;
,, ni eſtotro, que el otro. I ſegun a mi me
,, parece, eſte genero de eſcritura,(p) i com-
,, poſicion, cae debajo de aquel de las Fabu-
,, las, que llaman Mileſias, que ſon Cuentos
,, diſparatados, que atienden ſolamente a
,, deleitar, i no a enſeñar. Al contrario de lo
,, que hacen las Fabulas Apologas, que de-
,, leitan, i inſeñan juntamente. I pueſto que
,, el principal intento de ſemejantes Libros
,, ſea el deleitar; no ſè Yo como puedan
,, conſeguirle, yendo llenos de tantos, i tan
,,   deſ-

(o) *Tom. I. cap.* 47. (p) *Segun ſe avia uſado
antes de* Cervantes.

,, desaforados disparates. Que el deleite que
,, en el alma se concibe, ha de ser de la her-
,, mosura, i concordancia, que vè, o contem-
,, pla en las cosas, que la vista, o la imagi-
,, nacion le ponen delante; i toda cosa que
,, tienen en sì fealdad, i descompostura, no
,, nos puede causar contento alguno. Pues
,, què hermosura puede avèr, o que propor-
,, cion de partes con el todo, i del todo con
,, las partes, en un Libro, o Fabula, donde
,, un Mozo de diez i seis años dà una cuchi-
,, llada a un Gigante como una Torre, i le
,, divide en dos mitades, como si fuera de
,, alfeñique? I què quando nos quieren pin-
,, tar una batalla, despues de haver dicho,
,, que ai de la parte de los enemigos un mi-
,, llon de combatientes, como sea contra
,, ellos el Señor del Libro, forzosamente,
,, mal que nos pese, avemos de entender, que
,, el tal Cavallero alcanzò la victoria por so-
,, lo el valor de su fuerte brazo? Pues què
,, diremos de la facilidad con que una Rei-
,, na, o Emperatriz heredera se conduce en
,, los brazos de un Andante, i no conocido
,, Cavallero? Què ingenio, sino es del todo
,, barbaro, e inculto podrà contentarse leyen-
,, do, que una gran Torre llena de Cavalle-
,, ros và por la Mar adelante, como Nave,

L

con

,, con profpero viento ; i hoi anochece en
,, Lombardia, i mañana amanezca en tierras
,, del Prefte Juan de las Indias , o en otras,
,, que ni las defcubrió Tolomèo , ni las viò
,, Marco Polo? I fi a efto fe me refpondieffe,
,, que los que tales Libros componen , los
,, efcriven como cofas de mentira, i que affi
,, no eftàn obligados a mirar en delicade-
,, zas, ni verdades ; refponderiales Yo , que
,, tanto la mentira es mejor (*Habla de la*
mentira Parabolica, *que por el fin del que la*
dice no lo es) quanto tiene mas de lo dudo-
,, fo , i poffible. Hanfe de cafar las Fabulas
,, mentirofas con el entendimiento de los
,, que las leyeren , efcriviendofe de fuerte,
,, que facilitando los impoffibles , allanan-
,, do las grandezas , i fufpendiendo los ani-
,, mos , admiren , fufpendan , alborocen , i
,, entretengan , de modo , que anden a un
,, mifmo paffo la admiracion , i la alegria
,, juntas : i todas eftas cofas no podrà hacer
,, el que huyere de la verofimilitud , i de la
,, imitacion , en quien confifte la perfeccion
,, de lo que fe efcrive. No he vifto ningun
,, Libro de Cavallerias , que haga un cuerpo
,, de Fabula entero, con todos fus miembros:
,, de manera , que el medio correfponda al
,, principio, i el fin al principio, i al medio;
,, fino

,, sino que los componen con tantos miem-
,, bros, que mas parece que llevan intencion
,, a formar una quimera, o un monstruo, que
,, a hacer una figura proporcionada. Fuera
,, de esto, son en el estilo, duros; en las ha-
,, zañas, increibles; en los amores, lascivos;
,, en las cortesias, mal mirados: largos en
,, las batallas, necios en las razones, dispa-
,, ratados en los viages; i finalmente, age-
,, nos de todo discreto artificio, i por esto
,, dignos de ser desterrados de la Republica
,, Christiana, como a gente inutil. ,, Se podia hacer Satira mas fuerte, i discreta contra los Escritores Cavallerescos?

129 Pues las Criticas particulares que
hizo de las Obras de ellos, fueron exactissi-
mas, i graciosissimas, como se puede vèr en
el Capitulo 6. de su *Primer Tomo*, i en otros
muchos. (q) Con quanto dissimulo reprehendiò el estilo de los que le avian precedido en
este genero de composicion, diciendo en Persona de Don Quijote, que el sabio que escriviesse sus hechos, llegando a contar su primera Salida tan de mañana, pondria de esta
manera: (r) *Apenas avia el rubicundo Apolo*
tendido por la faz de la ancha, i espaciosa tier-
ra las doradas hebras de sus hermosos cabellos;

L 2

(q) *Cap.* 32. & 47. (r) *Tom. I. cap.* 2.

apenas los pequeños , i pintados pajarillos,
con sus barpadas lenguas , avian saludado con
dulce , i melisfua armonia la venida de la ro-
sada Aurora , que dejando la blanda cama del
zeloso marido por las puertas , i balcones del
Manchego Orizonte , a los mortales se mostrava : quando el famoso Cavallero Don Quijote
de la Mancha , dejando las ociosas plumas , su-
biò sobre su famoso Cavallo Rocinante , i comenzò a caminar por el antiguo , i conocido
Campo de Montièl.

130 Tambien nos pintò Cervantes tan
al vivo los vicios , assi de los Animos , como de las Obras de los demàs Escritores,
que no ai mas que desear. En el *Prologo de*
su primera Parte , que leido muchas veces,
siempre causa novedad ; con gran dissimulo
reprehende aquellos , que faltos de dotrina,
afectan erudicion en las margenes de sus Libros , rebentando por parecer eruditos : como si la variedad de Citas arguyesse otra cosa , que una tumultuaria leccion , o manejo
de alguna Polianthea. Otros mui fuera de
proposito encajan las Citas dentro de la
Obra , pareciendoles , que si alegan a Platòn,
o Aristoteles , seràn tan simples los Letores,
que se persuadan que los han leido. Otros,
aviendo apenas saludado la Lengua Latina,

se precian mucho de afectar su culta Latini-
parla. A estos reprehendió Don Quijote; pues
en una ocasion, (f) en que hablando con
Sancho Panza, le dijo: *Que no tuviesse pena*
del desamparo de aquellos animales, que el que
los llevaria a ellos por tan longinquos caminos,
i regiones, tendria cuenta de sustentarlos. No
entiendo esto de longinquos, dijo Sancho, ni
he oido tal vocablo en todos los dias de mi vi-
da. Longinquos, respondió Don Quijote, quie-
re decir apartados. I no es maravilla que no lo
entiendas, que no estás tù obligado a saber La-
tin, como algunos que presumen que lo saben,
i lo ignoran. Por esso Cervantes, que se pre-
ciava de saber la Lengua Castellana, pero no
la Latina; (que esto pide una aplicacion, i
egercicio de muchos años) introdujo a Urganda la Desconocida, hablando con su Libro desta suerte:

    Pues al Cielo no le plu-
    Que saliesses tan Ladi-
    Como el negro Juan Lati-
    Hablar Latines rehu-

131 Este Juan Latino fuè un Ethiopè,
primeramente esclavo, i condicipulo en la
Gramatica de Gonzalo Fernandez de Cordova, Duque de Sessa, Nieto del Gran Capi-
           L 3   tan:

tan; i defpues liberto fuyo, i Maeftro de Lengua Latina en la Efcuela de la Iglefia de Granada.

132   Tambien reprehendiò Cervantes las frioleras de los Interpretes, quando efcriviò afsi: (t) *Entra Cide Hamete, Coranifta defta grande Hiftoria, con eftas palabras en èfte Capitulo: Juro como Catholico Chriftiano. A lo que fu Traductor dice, que el jurar Cide Hamete como Catholico Chriftiano, fiendo èl Moro, como fin duda lo era, no quifo decir otra cofa, fino que afsi como el Catholico Chriftiano, quando jura, jura, o deve jurar verdad, i decirla en lo que digere: afsi èl la decia, como fi juràra como Chriftiano Catholico, en lo que querìa efcrivir de Don Quijote.*

133   En otra parte, (u) tratando de Don Quijote, dice: *Quieren decir, que tenia el fobrenombre de Quijada, o Quefada, que en efto ai alguna diferencia en los Autores que de efte cafo efcriven: aunque por congeturas verofsimiles fe deja entender, que fe llamava Quejana.* En lo qual, en mi juicio, quifo Cervantes reprehender la ociofidad de muchos vanamente folicitos en amontonar varias Lecciones, a fin de manifeftarfe ingeniofos con frivolas congeturas.

Eftos

(t) *Tom. II. cap. 27.* (u) *Tom. I. cap. 1.*

134 Estos pues , i femejantes Escritores
son aquellos de quienes hace burla Cervantes , diciendo en su Prologo , que solicitan
Aprovaciones hechas por sus Amigos, o por
ellos mismos, para satisfacer mejor a la propia ambicion de grangear aplausos.Bien que
algunos Escritores cuerdos , que saben lo
que puede con los necios la autoridad ex-
trinseca , tal vez se dejan llevar , o del ape-
tito de gloria , o condecendiendo en los rue-
gos , i cortesanía de sus Amigos,son los propios fabricadores de sus alabanzas : como
sospecho Yo que lo practicò el Padre Juan
de Mariana en casi todas sus Obras, i el mismo Cervantes en su Tomo Segundo de Don
Quijote de la Mancha.

135 Los Letores no se libraron de la
Censura de nuestro Autor. Entre otras muchas me parece muy graciosa aquella que
hizo de los que a las margenes de los Libros
ponen Notas mui ridiculas , qual era la que
dice que tenìa la Historia Arabiga de Don
Quijote , que traducida en Castellano , dice
assi: (x) *Esta Dulcinèa del Toboso , tantas*
veces en èsta Historia referida , dicen que tu-
vo la mejor mano para salar puercos, que otra
Muger de toda la Mancha.

L 4

No

(x) *Tom. I. cap.* 2.

136 No solamente los que escriven, i leen, tuvieron sus justas reprehensiones; sino tambien los que hablan con poca enmienda. I a esto me parece que alude lo que dijo el Vizcaìno: (y) *Anda, Cavallero, que mal andes, por el Dios que criòme, que, si no dejas Coche, assi te matas, como estas abì, Vizcaìno. Entendiòle mui bien Don Quijote, i con mucho sossiego le respondiò: Si fueras Cavallero, como no lo eres, ya Yo huviera castigado tu sandèz, i atrevimiento, cautiva criatura. A lo qual replicò el Viocaìno: Yo no Cavallero? Juro a Dios tan mientes, como Christiano. Si Lanza arrojas, i Espada secas, el agua quan presto veràs, que al gato llevas: Vizcaìno por tterra, Hidalgo por Mar, Hidalgo por el Diablo, i mientes, que mira si otra dices cosa.* Aqui se vè claramente quanto desfigura el Lenguage, i trastorna el sentido, la colocacion perturbada: vicio de los Libros antiguos escritos en Romance, como mas immediatos al origen Latino: i vicio tambien del mismo Cervantes en su *Galatea*; el qual se evita siguiendo la costumbre de hablar; pero como èsta no està fundada en una perfecta analogìa, sino que tiene por reglas muchas irregularidades; de aqui nace, que

(y) *Tom. I. cap. 8.*

que no ſe puede hablar , ni eſcrivir con enmienda , ſin aver eſtudiado bien la Gramatica de la propia Lengua , como lo practicaron los Griegos , i Romanos , Naciones las
que mejor han hablado en todo el Mundo.
I porque en Eſpaña no ſe uſa eſto , han ſido
poquiſsimos los que han eſcrito con enmienda.

137   Omito que Cervantes tambien nos
quiſo enſeñar en boca de Don Quijote , que
puede mui bien una Provincia ſer privilegia-
dz , i eſſenta de tributos , ſin diſtinciou de
Perſonas ; pero que la verdadera Nobleza,
en opinion de todas las Gentes,ſiempre ſera
aquella en que los hombres ſe hagan iluſtres
por ſus hazañas , i empleos , i ſean honrados
de ſus Republicas , o Principes. Sobre lo
qual hizo Don Quijote en otra parte un excelente razonamiento , explicando la diferencia de Cavalleros,i de Linages. (z) I Cide
Hamete ſe rie de la hidalguia de Maritornes,
moza de una Venta , diciendo : (a) *Cuentaſe*
de eſta buena moza, que jamàs diò ſemejantes
palabras , (como la que avia dado a un Ar-
riero de Arevalo) *que no las cumplieſſe, aun-*
que las dieſſe en un Monte , i ſin teſtigo algu-
no. Porque preſumìa mui de hidalga , i no te-
                                                      nìa

(z) *Tom. II. cap. 6.* (a) *Tom. I. cap. 16.*

nìa por afrenta eſtàr en aquel egercicio de ſer-
vir en la Venta. Porque decìa ella, que deſgracias, i malos ſuceſſos la avian traìdo a
aquel eſtado.

138 Tambien tuvieron ſu oculta, pero
fuerte reprehenſion, los Señores del tiempo
de Cervantes, por no apreciar, como debìan,
las Obras de ingenio. Eſta Satira fuè agudiſ-
ſima, i pide mui particular atencion. Pintò
Cervantes admirablemente a un falſo Huma-
niſta, al qual ſolemos llamar *Pedante*; i deſpues de avernos dejado dos gracioſiſſimos
Retratos ſuyos, (b) en que manifeſtò la ridicula idèa de ſus Obras, hizo que Don Quijote, proſiguiendo ſu diſcretiſſima converſacion, le digeſſe eſto: *Querrìa Yo ſaber, ya*
que Dios le haga merced de que ſe le dè licen-
cia para imprimir eſſos ſus Libros (que lo du-
do) a quien pienſa dirigirlos? Señores, i Gran-
des ai en Eſpaña a quien puedan dirigirſe,
dijo el Primo. No muchos, reſpondiò Don
Quijote. I no porque no lo merezcan, ſino que
no quieren admitirlos, por no obligarſe a la
ſatisfaccion, que parece ſe deve al trabajo, i
ſorteſìa de ſus Autores. Un Principe conozco
Yo, (diſcreta liſonja a Don Pedro Fernandez
de

(b) *El uno en el Cap.* 22. *i el otro en el* 24.
del Tom. II.

He Castro, Conde de Lemos) *que puede suplir la falta de los demás, con tantas ventajas, que si me atreviera a decirlas, quiza dispertára la invidia en mas de quatro generosos pechos.* Antigua pues, i como heredada es en España esta falta de conocimiento, i aprecio de los grandes Escritores. Por esso ha avido quien fuera de ella ha buscado Mecenas. I preguntado otro, por què se mostrava arrepentido de aver honrado la memoria de tantos, respondiò: (c) *Porque piensan ellos, que el celebrarlos es deuda : i assi no hacen merito del obsequio. Creen que procede de justicia, quando no es sino mui de gracia. Por lo tanto anduvo discretamente donoso aquel Autor, que en la segunda impression de sus Obras, puso entre las erratas la Dedicatoria primera.*

139 No anduvo Cervantes menos discreto en las cosas que pertenecen al trato civil, i politico. En la persona de Sancho Panza nos pintò los Habladores mui al vivo, haciendole contar un Cuento sumamente apropiado, para representar la idèa de un importuno hablista semejante a los que tratamos cada dia. (d) I porque en el trato civil no ai mayor impertinencia, que la de un Cere-

(c) *Gracian*, El Criticon, *Parte 3. Crisi 6.*
(d) *Tom. I. cap. 31.*

remonioſo, rematò el Cuento contra la mal
fundada preſuncion de los que ponen el ſèr
en la riguroſa obſervancia de las leyes de la
Etiqueta mui fuera del caſo.

140   No le parecio bien a Cervantes que
algunos Frailes mandaſſen a algunos Señores: i contra eſto hizo un fuerte ſermon. (e)

141   Reprehendiò el fervor de los Far-
ſantes, (f) que entonces ivan tomando cuerpo, i llegò a ſer eſcandalo.

142   No ſe librò de ſu Cenſura la diſtri-
bucion de los premios de juſticia. I aſsi en
boca de Don Quijote (que tales coſas ſolamente los locos, o ſimples ſuelen atreverſe
a decirlas) hablò de eſta manera: (g) *Ya por*
muchas experiencias ſabemos, que no es me-
neſter, ni mucha habilidad, ni muchas letras
para ſer uno Governador, pues ai por ahi cien-
to, que apenas ſaben leer, i goviernan como
unos Girifaltes. El toque eſtà, en que tengan
buena intencion, i deſeen acertar en todo, que
nunca les faltarà quien les aconſege, i encami-
ne en lo que han de hacer, como los Governa-
dores Cavalleros, i no Letrados, que ſenten-
cian con Aſſeſſor. Aconſejariale Yo, que ni to-
me cobecho, ni pierda derecho, i otras coſillas,
                                    que

(e) *Tom. II. cap. 31.* (f) *Tom. II. cap. 11.*
(g) *Tom. II. cap. 32.*

que me quedan en el estomago, que saldràn a su tiempo, para utilidad de Sancho, i provecho de la Insula que governàre. Aludiò en esto Don Quijote a las dos Instrucciones que pensava dàr, i diò despues a Sancho Panza una Politica para el buen govierno de su Insula; (h) i otra Economica; (i) entrambas dignissimas de ser leidas, i practicadas de todo buen Governador, i Padre de Familias. Al proposito de los mismos Governadores, dijo Sancho Panza, (k) quando tratava de ir a su Govierno, i de llevar su Rucio: *Yo he visto ir mas de dos Asnos a los Goviernos; i que llevasse Yo el mio, no seria cosa nueva.* El mismo Sancho anduvo sumamente discreto, quando hablando del uso de la caza, respeto de los que tienen por oficio governar, fuè de contrario dictamen que su Amo Don Quijote, alegando su refrancico, i confirmandolo con la razon natural, que fue la que moviò a decir al Sabio Rei Don Alonso, (l) *Que non deve* (el Rei) *meter tanta costa, que mengue en lo que ha de cumplir, nin use tanto dello (* esto es, de la caza)*que le embargue los otros fechos.*

143 Seria menester hacer un Libro mui crecido, si en todo se huviesse de manifestar el

(h) *Tom. II. cap.* 42. (i) *Tom. II. cap.* 43. (k) *Tom. II. cap.* 33. (l) *Ley* 2. *tit.* 5. *Part.* 2.

el alma verdadera de esta fingida Historia; mas si huviessemos de hablar de algunas personas, que se creen caracterizadas en las de esta misteriosa Historia. Pero pues Cervantes anduvo tan cauto, que encubriò su idèa con el velo de la ficcion, degèmos estas interpretaciones a la curiosa observacion de los Letores, i sigamos el consejo de Urganda la Desconocida.

> *No te metas en dibu-*
> *Ni en saver vidas age-*
> *Que en lo que no và, ni vie-*
> *Passar de largo es cordu-*

144 Solamente en lo que toca a Don Quijote, no quiero passar en silencio, que se engañan mucho los que piensan, que Don Quijote de la Mancha es una representacion de Carlos Quinto, sin mas fundamento que antojarseles assi. Cervantes aprecieva, como devia, la memoria de un Principe, i Señor suyo, de tanto valor, i de tan heroicas virtudes, i muchas veces le nombrò con la mayor veneracion. Tambien se engañan los que piensan, que pintò en Don Quijote, a Don Francisco Gomez de Sandoval i Rojas, entonces Duque de Lerma, despues Cardenal Presbitero, con el titulo de San Sixto, por eleccion de Paulo V. en 26. de Marzo de 1618.

2618. Pero este pensamiento de ningun modo es creìble: porque mandando a España el Duque de Lerma, no se atreverìa Cervantes a hacerle una burla tan infame, que le podìa salir mui cara; ni dedicarìa la Continuacion de dicha Obra al Conde de Lemos, intimo Amigo del Duque.

145   Querer hablar de las Traducciones que se han hecho de la Historia de Don Quijote, serìa alargarnos demasiado. Solamente dirè, para satisfacer de algun modo a la curiosidad de los Letores, que Lorenzo Franciosini, Florentin, hombre mui amante, i benemerito de la Lengua Española, dentro de mui pocos años, la tradujo en Italiano, i la publicò en Venecia, año 1622. omitiendo los Versos: pero aviendoselos traducido despues Alejandro Adimaro, tambien Florentin, publicò segunda vez la misma Traduccion en Venecia, Año 1625. en 8. siendo el Impressor Andrès Baba. Devo èsta noticia a Don Nicolàs Antonio; i la he leìdo en sus *Apuntamientos manuscritos*; donde dice, que assi se lo avìa escrito desde Florencia su Amigo Antonio Magliabequi. La misma Historia se tradujo en Francès, i se publicò en Paris, Año 1678. en 2. vol. en 12. Despues en Inglès, i en otras Lenguas. Pero ai tanta dife-

ferencia del Original a las Traducciones, como de lo vivo a lo pintado. Decìa Don Quijote, i no decìa mal: (m) *Que el traducir de una Lengua en otra, como no sea de las Reinas de las Lenguas Griega, i Latina, es como quien mira los Tapices Flamencos por el revès, que aunque se vèn las Figuras, son llenas de hilos, que las escurecen, i no se vèn con lisura, i tèz de la haz: i el traducir de Lenguas faciles, ni arguye ingenio, ni elocucion: como no le arguye el que traslada, ni el que copia un papel de otro papel.* Pero esto deve entenderse de aquellos Libros, cuya gran parte de perfeccion no consiste en el estilo: porque donde tanto reina la gracia de decir, como en èste de Don Quijote; la Traduccion no es possible que corresponda al Original. No serà fuera de proposito un Cuento. Bien notorio es quan ingenioso fuè Monf. Row, cèlebre Poeta Inglès. Procurava èste obsequiar al Conde de Oxford, Gran Thesorero de Inglaterra, el qual un dia le preguntò, si entendìa bien la Lengua Española? Respondiòle que no; i persuadiendose a que pensaria embiarle a España con alguna honrosa comission; añadiò, que dentro de poco tiempo esperava entenderla, i hablarla. Aprovòla lo el Conde: retiròse Monf. Row a una Quinta; i como era tan habil, dentro de pocos mefes aprehendiò la Lengua Efpañola, i fuè a dar cuenta de fu buena diligencia. El Conde exclamò: *Dichofo V. M. que puede tener el gufto de leer, i entender el original de la Hiftoria de Don Quijote!* Quedò el Poeta tan frio, como honrada la memoria de Miguèl de Cervantes Saavedra.

146   El qual, mientras eftava trabajando la Continuacion de la Hiftoria de Don Quijote, se divertìa en efcrivir algunas *Novelas,* que falieron a luz con èfte titulo: *Novelas Exemplares de Miguèl de Cervantes Saavedra. En Madrid, por Juan de la Cuefta, Año 1613. en 4.*

147   Las Novelas fon doce: i fus Titulos èftos: LA GITANILLA. EL AMANTE LIBERAL. RINCONETE I CORTADILLO. LA EfPAñOLA INGLESA. EL LICENCIADO VIDRIERA. LA FUERZA DE LA SANGRE. EL CELOSO ESTREMEñO. LA ILUSTRE FREGONA. LAS DOS DONCELLAS. LA SEñORA CORNELIA. EL CASAMIENTO ENGAñOSO. LOS PERROS, CIPION I BERGANZA.

148   Eftava Cervantes tan juftamente

M   *fa*

satisfecho de estas *Novelas* (algunas de las quales, como RINCONETE I CORTADI-LLO , i otras, años avìa (n) que las tenìa compuestas) que dedicandolas al Conde de Lemos , llegò a decirle : *Advierta vuestra Excelencia que le embio , como quien no dice nada , doce* CUENTOS , *que a no averse labrado en la oficina de mi entendimiento , presumieran ponerse al lado de los mas pintados.* Pero es mui del caso referir aqui qual fuè la idèa de Cervantes , para que se haga mejor juicio de la Censura , que le hizo el Escritor Aragonès.

149 Despues de aver dicho Cervantes, que si en la Historia de Don Quijote huviera solicitado ambiciosas alabanzas , le huviera ido mejor ; prosigue assi : ,, En fin , pues ya ,, esta ocasion se passò , i Yo he quedado en ,, blanco , i sin figura ; serà forzoso valerme ,, por mi pico ; que , aunque tartamudo, no ,, lo serà para decir verdades, que dichas ,, por señas , suelen ser entendidas. I assi ,, te digo (otra vez Letor amable) que de ,, estas NOVELAS que te ofrezco , en nin-,, gun modo podràs hacer pepitoria; porque ,, no tienen pies , ni cabeza , ni entrañas, ni ,, cosa que les parezca. Quiero decir , que

,, los

(n) *Tom. I. cap.* 47.

,, los requiebros amorofos que en algunas
,, hallaràs, fon tan honeftos, i tan medidos
,, con la razon, i difcurfo Chriftiano, que
,, no podràn mover a mal penfamiento al
,, defcuidado, o cuidadofo que las leyere.
,, Hèles dado el nombre de EGEMPLA-
,, RES: i fi bien lo miras, no ai ninguna de
,, quien no fe pueda facar algun egemplo
,, provechofo. I fi no fuera por no alargar
,, èfte Sugeto, quizà te moftràra el fabrofo,
,, i honefto fruto que fe podrìa facar, affi de
,, todas juntas, como de cada una de por sì.
,, Mi intento ha fido poner en la Plaza de
,, nueftra Republica una Mefa de Trucos,
,, donde cada uno pueda llegar a entretener-
,, fe, fin daño de barras: digo fin daño del
,, alma, ni del cuerpo; porque los egerci-
,, cios honeftos, i agradables, antes apro-
,, vechan, que dañan. Sì; que no fiempre fe
,, eftà en los Templos. No fiempre fe ocu-
,, pan los Oratorios. No fiempre fe affifte a
,, los negocios por calificados que fean. Ho-
,, ras ai de recreacion, donde el afligido ef-
,, piritu defcanfe. Para èfte efeto fe plantan
,, las Alamedas, fe bufcan las Fuentes, fe
,, allanan las cueftas, i fe cultivan con curio-
,, fidad los Jardines. Una cofa me atreverè a
,, decirte, que fi por algun modo alcanzàra

M 2 ,, que

,, que la leccion deſtas Novelas pudiera indu-
,, cir a quien las leyere algun mal deſeo , ó
,, penſamiento, antes me cortàra la mano con
,, que las eſcriví, que ſacarlas en publico. Mi
,, edad no eſtà ya para burlarſe con la otra
,, vida; que al cinquenta i cinco de los años,
,, gàno por nueve mas, i por la mano. A eſto
,, ſe aplicò mi ingenio , por aqui me lleva
,, mi inclinacion : i mas que me doi a enten-
,, der (i es aſsì) que ſoi el primero que he
,, Novelado en Lengua Caſtellana; que las
,, muchas Novelas que en ella andan impreſ-
,, ſas , todas ſon traducidas de Lenguas Eſ-
,, trangeras; i èſtas ſon mias propias, no imi-
,, tadas , ni hurtadas. Mi ingenio las engen-
,, dròo, i las pariò mi pluma , i vàn crecien-
,, do en los brazos de la eſtampa. . . . Solo
,, eſto quiero que conſideres , que pues Yo
,, he tenido oſſadìa de dirigir eſtas Novelas
,, al Gran Conde de Lemos , algun miſterio
,, tienen eſcondido , que las levanta. ,, Eſte
miſterio , lo es para mi. Declàrelo quien lo
entienda. En lo demàs claramente entende-
mos el motivo que tuvo Cervantes para llamar *Egemplares* a ſus *Novelas*. Con todo eſto
el maldiciente Aragonès empezò ſu Prologo
de eſta manera: *Como caſi es* COMEDIA to-
da la Hiſtoria de Don Quijote de la Mancha,

no

no puede, ni deve ir sin Prologo : i assi sale al
principio de esta Segunda Parte de sus Haza-
ñas èste menos cacareado, i agressor de sus Le-
tores, que el que a su Primera Parte puso Mi-
guèl de Cervantes Saavedra, i mas humilde
que el que segundò en sus NOVELAS *, mas*
Satiricas, que Egemplares, si bien no poco
ingeniosas.

150   No hagamos caso de que por burla
llama *Cacareado* a un *Prologo* tan justamente
celebrado, queriendo parear sus necedades
con aquellas incomparables discreciones.Ni
nos detengamos en que llame *Agressor de los*
Letores a un *Prologo*, en el qual nada se dice
contra èstos. Lo que a èste Satirico, como a
embidioso, le dolìa, era, el que Cervantes
huviesse dicho aver sido el primero que va-
liendose de su propia invencion, Novelò en
Lengua Castellana. Oigamos a Luis Gaitan
de Vozmediano, el qual en el Prologo de la
Traduccion que hizo de la *Primera Parte de*
las Cien Novelas de Monss. Juan Bautista Gi-
raldo Cinthio,impressa en Toledo por Pedro
Rodriguez, Año 1590. en 4. hablando de las
Novelas rigurosamente tales, i entendiendo
por ellas, a mi vèr, *Unas ficciones de Sucessos*
amorosos, escritas en prosa artificiosamente
para divertir, e instruir a los Letores, (se-
M 3   gun

gun las definiò el eruditiſsimo Huet) dice
aſsi : *Ya que haſta ahora ſe ha uſado poco en*
Eſpaña eſte genero de Libros , por no aver co-
menzado a traducirlos de Italia , i Francia; no
ſolo avrà de aqui adelante quien por ſu guſto
las traduzga ; pero ſerà por ventura parte el
vèr que ſe eſtima eſto tanto en los Eſtrange-
ros , para que los Naturales hagan lo que nun-
ca han hecho , que es componer Novelas. Lo
qual entendido haràn mejor que todos ellos , i
mas en tan venturoſa edad , qual la preſente.
Aſsi ſucediò : porque Cervantes eſcriviò algunas Novelas con tanto ingenio , diſcrecion , i elegancia , que pueden competir con
las mejores , no coartando el nombre de Novela a las Fabulas amoroſas , ſino haciendo
ſugeto de ella qualquier aſſunto , capàz de
divertir honeſtamente a los Letores. Lope
de Vega eſtuvo tan ageno de contradecirlo,
que antes bien alabò la invencion , gracia , i
eſtilo de Cervantes , quando en la Dedicatoria de ſu Primera Novela dijo : *Tambien ai*
(en Eſpaña) *Libros de* NOVELAS : *de ellas*
traducidas de Italianos ; i de ellas , propias ; en
que no faltò gracia , i eſtilo a Miguèl de Cer-
vantes. Pero porque eſto miſmo dicho con
ſencillèz por Cervantes , causò embidia al
detractor ; notò èſte ſu Prologo de poco hu-
mil-

milde : i a sus *Novelas*, de mas Satiricas, que Egemplares , aludiendo sin duda a las dos NOVELAS *del* LICENCIADO VIDRIE-RA, *i de los* PERROS CIPION, I BERGAN-ZA : de las quales èsta mereciò la Aprova-cion de Pedro Daniel Huecio , (o) hombre el mas erudito que ha tenido la Francia ; i aquella juzgo Yo , que es el Texto donde Quevedo tomava puntos para formar des-pues sus lecciones Satiricas contra todo ge-nero de gentes.

151 Ultimamente, por lo que toca a in-titular *Egemplares* a las *Novelas* ; Yo, hablan-do con ingenuidad , no las huviera llamado assi ; i en esto no me aparto del juicio de Lope de Vega , el qual acabando de alabar las Novelas de Cervantes , añade : (p) *Con-*
fiesso que son Libros de grande entretenimien-
to : i que podrian ser Egemplares como algu-
nas de las Historias de Valdelo ; pero avian de
escrivirlos Hombres Cientificos , o por lo me-
nos grandes Cortesanos , gente que halla en
los desengaños, notables Sentencias , i Aforis-
mos. Pero para censurar el Titulo que diò Cervantes a sus NOVELAS , era menester

M 4   pro-

(o) *Lettre de l' Origine des Romans.* (p) *En*
la Dedicatoria de su primera Novela a la Se-
ñora Marcia Leonarda.

provar ; que no le convenia. Mas èsta no era
empreſſa para el Cenſurador Aragonès; el
qual devìa aver obſervado la explicacion de
Cervantes, i tomado èsta breve Leccion del
Maeſtro Alexio Venegas. (q) *Reſumiendo*
(dice) *todas èstas tres eſpecies de Fabulas, di-*
go, que la Fabula Mithologica es una habla,
que con palabras de admiracion ſignifica algun
ſecreto natural, o Cuento de Hiſtoria. La Apo-
logica es una egemplar figura de habla, de cu-
ya certeza ſe entiende la intencion del Fabula-
dor, que es componer las buenas coſtumbres.
La Fabula Mileſia es un deſvario vano, ſin
meollo de Virtud, ni Ciencia, urdido para em-
bovecer a los ſimples. Dejando pues Cervantes la Fabula Mithologica a los Poetas Antiguos; i la Mileſia a los Eſcritores deſvergon-
zados, Antiguos, i Modernos; eſcogiò para sì la Apologica, o Egemplar. I para que
èsto ſe acabe de entender ; oigamos de nuevo a aquel necio Reprehenſor, que por ventura nos darà ocaſion para defender a Cervantes con alguna novedad. *Contenteſe* (dice)
(r) *con ſu Galatèa, i Comedias en Proſa* ; que
eſſo ſon las mas de ſus Novelas. No nos canſe.
Que las COMEDIAS ſean eſcritas en Proſa,
no

(q) *En la Expoſicion que hizo al Momo, con-*
cluſ.2. (r) *En el Prologo citado.*

no es maravilla ; pues las Griegas, i Latinas, casi todas están compuestas en Versos Yambos, tan semejantes a la Prosa, que muchas veces apenas se distinguen de ella. I las mejores Comedias que tenemos en Español, que son LA CELESTINA , I EUFROSINA , están escritas en Prosa. De la CELESTINA dijo el docto Autor del *Dialogo de las Lenguas* , que quitandole algunos vocablos fuera de proposito, i algunos otros Latinos, era de opinion, *que ningun Libro ai escrito en Castellano, adonde la Lengua esté mas natural, mas propia, ni mas elegante.* I despues de él, dijo Cervantes, (f) que era *Libro en su opinion Divino, si encubriera mas lo Humano* : juicios, que segun el mio, totalmente quadran tambien a LA EUFROSINA. Pero no puedo dissimular, que en medio de la pureza de estilo de ésta, ai frequentissimas alusiones pedantescas, las quales empalagan mucho el delicado gusto de los Letores.

152   Que las Novelas sean Comedias, no es mucho; pues siendo la Novela una Fabula, es necessario que sea alguna de las especies de la Fabula ; i en mi juicio puede ser qualquiera dellas, como se puede observar en ésta induccion: en la qual me valdré de los egemplos

(f) *En la Decima del Poeta Entreverado.*

plos de Cervantes en quanto ellas alcancèn,
para que se vea que fuè diestrissimo en casi
todas las especies de Composicion Fabulosa.

153   Toda FABULA es Ficcion, i toda
Ficcion es Narracion, o de cosas que no sucedieron; pero fueron possibles: o de cosas,
que ni sucedieron, ni fueron possibles. Si la
Narracion es de cosas meramente possibles,
i se atiende la semejanza, i proporcion que
tiene lo fingido con lo que se quiere persuadir; se llama PARABOLA, de que están llenos los Sagrados Libros; i el que compuso
el Infante Don Juan Manuel en su discretissimo CONDE LUCANOR. I si atendemos
la Invencion, se llama NOVELA: nombre
que en èste significado no es mui antiguo en
España. Pero si la Narracion es de cosas im-
possibles, se llama APOLOGO, como las
FABULAS DE ISOPO, i de FEDRO. En
cuyo genero de composicion se deve observar, que aunque sea la hipothesis impossible; una vez que sus Partes se suponen exis-
tentes, se deven guardar con verosimilitud la
Propriedad, i Costumbres de las Personas
fingidas, siguiendo en todo la naturaleza de
las cosas. Es de tanto provecho èsta Invencion, que se halla practicada en las Divinas Letras: pues en el *Libro de los Juezes*
lee-

(t) leemos, que los Arboles de la Montaña tuvieron sus Cortes para alzar por Rei uno de ellos. Algunos de los quales no quisieron acetar el Reinado. La Oliva, por no dexar su grossura; la Higuera, la dulzura de sus frutos; la Vid, el Vino regocijador: i viniendo a la Cambronera, no solo acetò el Cetro; sino que a no darselo, amenazò con pena de fuego a los Cedros del Libano. Tambien leemos en el *Libro Quarto de los Reyes*, (u) que Joaz, Rei de Israel, embiò a decir a Amasías, Rei de Judà, que se contentasse con las vitorias que avìa alcanzado, sin querer averlas consigo, guardandose no le aconteciesse lo que al Cepacavallo (que es el que dicen Cardo corredor) el qual embiò a decir al Cedro del Monte Libano, que diesse su Hija para casarla con su Hijo; i al tiempo que hacia èsta propuesta passaron los Bestias del Libano, i atropellaron, i maltrataron al Cardo, quando con tanta arrogancia aspiraba a ser Consuegro del Cedro. Esto supuesto, se deve tener por Apologo LA NOVELA DE LOS PERROS, donde introdujo Cervantes un agradable Coloquio entre Cipion, i Berganza, Perros del Hospital de la Resurreccion de Valladolid.

En

(t) *Cap. 9. v. 8.* (u) *Cap. 14. v. 8.*

154	En lo que toca a las NOVELAS,
dichas affi especialmente ; fu ficcion fe com-
pone , o de partes meramente poffibles, como cafi todas las que ai efcritas ; o de fucef-
fos verdaderos , pero que no tuvieron el en-
lace, i confequencia que dice el Autor; porque fi no , feria Hiftoria, o Relacion verdadera , como lo es en gran parte LA NOVE-
LA DEL CAUTIVO , advirtiendolo el mifmo Cervantes ; (x) pero no lo es el Enredo,
i Defenredo en que confifte la NOVELA , o
FABULA.

155	La Ficcion de cofas poffibles,o pro-
pone la imitacion de una Idea perfeta , la
mejor que pueda imaginarfe fegun las Acciones iluftres que fe han de engrandecer ; o
una Idea de la Vida Civil,que fea mas prac-
ticable ; o los defetos de la Naturaleza , o
del Animo , ahora fea para reprehenderlos;
ahora para incitar a fu burla , o imitacion;
que a tanto como efto llega la malignidad
del entendimiento humano.

156	Si la FABULA propone una Idea
mui perfeta, fe llama EPOPEYA, la qual re-
prefenta con gallardìa las Acciones iluftres
de Perfonas infignes en las Artes de la Paz,o
de la Guerra , con el fin de excitar los animos

(x) *Tom.I. cap.* 38. *en el fin.*

mos de los Letores a la admiracion, i de
moverlos a la imitacion de tan heroicas virtudes. Tales son la ILIADA , i ULISEA de
Homero.

157 Antonio Diogenes, que segun congetura Focio, (y) Patriarca de Constantinopla, viviò poco despues de Alejandro Magno , escriviò una *Novela de las Peregrinacio-
nes, i Amores de Dinias, i Dercilis*, donde se
vè una manifiesta imitacion de las peregri-
naciones de Ulises , i Amores de Calipso.
La Novela que compuso *De las cosas de
Ethiopia* , Heliodoro , Obispo de Trica en
Thesalia, tambien esta escrita a imitacion de
la *Ulisea* de Homero : assimismo la *De los
Amores de Clitofon* , i *Leucippes* , menos honesta que la otra ; su Autor Aquiles Tacio,
que, si creemos a Suidas , tambien fuè Obispo. I para que a nuestra edad no faltasse otro,
tambien Novelista a lo de Homero , Mons.
Fenelon, Arzobispo de Cambrai, ingeniosa-
mente escriviò con estilo Poetico *Las Aventuras de Telemaco*. Ultimamente (por no
apartarme de Cervantes) LOS TRABAJOS
DE PERSILES , I SIGISMUNDA , son
una clara imitacion de la ULISEA de Homero , i ETHIOPICA de Heliodoro , con
quien

(y) *In Bibliotheca.*

quien Cervantes intentò competir ; i en mi
juicio le huviera aventajado , si con la fecundidad de su ingenio no huviera en-
tremezclado tantos Episodios , que desfi-
guran , i desaparecen la constitucion , i proporcion de los miembros de la Fabula principal. Pero este mismo descuído tiene una
singular prerogativa , i es , que muchos de
estos Episodios son otras tantas TRAGE-
DIAS , donde la Accion es una , i de Persona ilustre , i el Estilo correspondiente a la
grandeza de la Accion, sin que falte otra cosa para la composicion de una perfecta Tragedia, sino la disposicion Dramatica, Coro,
i Aparato Scenico.

158　La FABULA DE DON QUIJO-
TE DE LA MANCHA , imita la ILIADA.
Quiero decir , que si la Ira es una especie de
Furor, Yo no diferencio a Aquiles Airado de
Don Quijote Loco. Si la ILIADA es una
Fabula Heroica escrita en Verso: la NOVE-
LA DE DON QUIJOTE lo es en Prosa:
que la Epica (como dijo (z) el mismo Cer-
vantes) *tambien puede escrivirse en Prosa,
como en Verso.*

159　Si la *NOVELA* propone una idèa
de

(z) *Tomo Segundo , capitulo* 47. *en
el fin.*

de la Vida Civil con su artificioso enredo, e ingeniosa solucion, es COMEDIA. I por tales tengo Yo casi todas las Novelas de Cervantes: i como Comedias se han representado muchas de ellas, solo con averlas dispuesto en forma Dramatica.

160 Si la Vida que representa la NOVELA, es Pastoril, se llamarà ECLOGA con toda la propiedad. I assi llamò Cervantes a su GALATEA. (a) Veamos pues ahora quan bien quadra lo que dijo el ignorante Aragonès. *Contentese con su GALATEA, i COMEDIAS en Prosa: que esso son las mas de sus NOVELAS. No nos canse.* A fé que no diria esto Lope de Vega su oraculo, pues en su NOVELA DEL DESDICHADO POR LA HONRA, dijo: (b) *Yo he pensado que tienen las NOVELAS los mismos precetos que las COMEDIAS.*

161 Si las costumbres se reprehenden con acrimonia descubierta, i severidad del animo, la NOVELA serà SATIRA, como la GITANILLA; RINCONETE, I CORTADILLO; EL LICENCIADO VIDRIERA; i LOS PERROS, CIPION, I BERGANZA:
que

(a) *En el principio de su Prologo.* (b) *En la Dedicatoria de la Novela; La Desdicha por la Honra.*

que son quatro ingeniosísimas *SATIRAS*, semejantes, segun podemos congeturar, a las que compuso Marco Varron, intitulandolas *MENIPEAS*, aludiendo a que Menipo Filosofo Cinico tratò cosas mui graves con estilo gracioso. *LA GITANILLA* es una reprehension de las costumbres de los Gitanos, salteadores, siempre perseguidos, i nunca acabados. *RINCONETE, I CORTADILLO*, es una Satirica representacion de la Vida Ladronesca, i especialmente de la de los Cortabolsas, que llamamos *Gatuna*. *EL LICENCIADO VIDRIERA*, es una Censura general de todos los Vicios. *LA NOVELA DE LOS PERROS*, es una invectiva contra los abusos que ai en la profesion de varios egercicios, i empleos.

162	Si las costumbres, o acciones se representan ridiculas, la *NOVELA* es *ENTREMES*, de cuya composicion, como dirè en su lugar, i tiempo, nos dejò Cervantes ocho Idèas: i en las quatro *NOVELAS* recien alabadas ai mucho de esso, i aun en la de *DON QUIFOTE*.

163	De las Idèas torpes de los Vicios, representandolos agradables, como dicen que lo hacian las antiguas, i bien perdidas *NOVELAS SIBARITICAS*, i se vè hoi en

las

las *MILESIAS* , no quiso Cervantes dejar-
nos egemplo , por no darle malo.

164   Pero para que no nos faltasse alguna Idèa de la *FABULA SALTICA,* si es que
deve llamarse assi la que se dice que inventò,
o a lo menos compuso nuestro Español Lu-
canò; nos la dejò en *LA GITANILLA,* i en
LA ILUSTRE FREGONA, como tambien
de la *PSALTICA* , que podemos llamar
CANTAR , o *ROMANCE* , de cuya especie
compuso , segun èl dice, infinitoss, (c) entre
los quales avria muchos ciertamente corres-
pondientes a la grandeza de su ingenio: i Yo
(aunque por congetura) pudiera aqui señalar
algunos, i especialmente el que empieza : *En
la Corte està Cortès* , que me agrada mucho.

165   El diestro Inventor , como Cervantes , sabe hacer una agradable mezcla de todas estas especies de Fabulas , assi en lo que
toca a los caracteres de las personas , i costumbres; como al estilo, apropiandole al sugeto de que se trata. I a esto aludiò el Canonigo de Toledo, esto es, el mismo Cervantes, quando dijo: (d) ,, Que con todo quan-
,, to mal avia dicho de tales Libros (*esto es,
,, de los Noveleros*) hallava en ellos una cosa
,, bue-

N

(c) *Viage del Parnaso* , *cap.* 4. (d) *Tom. I,*
cap. 47. & 48.

,, buena, que era el sugeto que ofrecian, pa-
,, ra que un buen entendimiento pudiesse
,, mostrarse en ellos : porque davan largo,
,, i espacioso campo, por donde, sin empa-
,, cho alguno, pudiesse correr la pluma, des-
,, criviendo naufragios, tormentas, reen-
,, cuentros, i batallas : pintando un Capitan
,, valeroso, con todas las partes que para ser
,, tal se requieren, mostrandose prudente,
,, previniendo las astucias de sus enemigos,
,, i eloquente Orador, persuadiendo, o di-
,, suadiendo a sus Soldados : maduro en el
,, consejo, presto en lo determinado : tan
,, valiente en el esperar, como en el acome-
,, ter : pintando, ahora un lamentable, i tra-
,, gico sucesso, ahora un alegre, i no pensa-
,, do acontecimiento : allì una hermosíssima
,, Dama, honesta, discreta, i recatada : aqui
,, un Cavallero Christiano, valiente, i come-
,, dido : acullà un desaforado Barbaro fan-
,, farron : acá un Principe cortès, valeroso,
,, i bien mirado : representando bondad, i
,, lealtad de Vassallos, grandezas, i merce-
,, des de Señores. Ya puede mostrarse Astro-
,, logo, ya Cosmografo excelente, ya Musi-
,, co, ya inteligente en las materias de Esta-
,, do. I tal vez le vendrà ocasion de mostrar-
,, se Nigromante, si quisiere. Puede mostrar

las

,, las aſtucias de Uliſes, la piedad de Eneas,
,, la valentia de Aquiles, las deſgracias de
,, Hector, las traiciones de Sinon, la amiſtad
,, de Eurialo, la liberalidad de Alejandro, el
,, valor de Ceſar, la clemencia, i verdad de
,, Trajano, la fidelidad de Zopiro, la pru-
,, dencia de Caton, i finalmente todas aque-
,, llas acciones que pueden hacer perfecto a
,, un Varon iluſtre, ahora poniendolas en
,, uno ſolo, ahora dividiendolas en muchos:
,, i ſiendo eſto hecho con apacibilidad de eſ-
,, tilo, i con ingenioſa invencion, que tire lo
,, mas que fuere poſſible a la verdad; ſin du-
,, da compondrà una tela de varios, i her-
,, moſos lazos tegida, que deſpues de aca-
,, bada, tal perfeccion, i hermoſura mueſtre,
,, que conſiga el fin mejor que ſe pretende
,, en los Eſcritos, que es enſeñar, i deleitar
,, juntamente, como ya tengo dicho. Porque
,, la eſcritura deſatada de eſtos Libros dà
,, lugar a que el Autor pueda moſtrarſe Epi-
,, co, Lirico, Tragico, i Comico, con todas
,, aquellas partes que encierran en ſi las dul-
,, ciſſimas, i agradables Ciencias de la Poe-
,, ſia, i de la Oratoria: que la Epica tambien
,, puede eſcrivirſe en proſa, como en verſo.
,, Aſſi es como vueſſa Mrd. dice, Señor Ca-
,, nonigo, dijo el Cura, i por eſta cauſa ſon

,, mas

,, mas dignos de reprehension los que hasta
,, aqui han compuesto semejantes Libros, sin
,, tener advertencia a ningun buen discurso,
,, ni al Arte, i reglas por donde pudieran
,, guiarse, i hacerse famosos en Prosa, como
,, lo son en Verso los dos Principes de la
,, Poesia Griega, i Latina. Yo a lo menos,
,, replicò el Canonigo, (*el qual ya he dicho*
,, *que es* Cervantes) he tenido cierta tenta-
,, cion de hacer un Libro de Cavallerias,
,, guardando en el todos los puntos que he
,, significado: i si he de confessar la verdad,
,, tengo escritas mas de cien hojas; i para
,, hacer la experiencia de si correspondian a
,, mi estimacion, las he comunicado con
,, hombres apassionados de esta leyenda,
,, Dotos, i Discretos, i con otros ignoran-
,, tes, que solo atienden al gusto de oìr dis-
,, parates, i de todos he hallado una agrada-
,, ble aprobacion. ,,   Entre estos ignorantes
no deviò consultar al Censurador Aragonès:
el qual devia aver hecho reflexion de que
quien assi sabia los precetos del Arte de Novelar, tomando la pluma procuraria ajustar-
se a ellos. En mi juicio las **NOVELAS** de
Cervantes son las mejores que se han escrito
en España, assi por la agudeza de su invencion, i honestidad de costumbres, como por
el

el arte con que se dispusieron, i la propiedad, i dulzura de estilo con que están escritas.

166   Un año despues que publicò las
NOVELAS, diò a luz un Librito, que intitulò: VIAGE DEL PARNASO, *compuesto*
por Miguèl de Cervantes Saavedra: Dirigido
a Don Rodrigo de Tapia, Cavallero del Ha-
bito de Santiago, hijo del Señor Pedro de Ta-
pia, Oidor del Concejo Real, i Consultor del
Santo Oficio de la Inquisicion Suprema. En
Madrid, por la Viuda de Alonso Martin.
Año 1614 en 8.

167   Cervantes se preciò mucho de la
invencion de este Libro. Yo juzgo que es
mas ingeniosa, que agradable. Pero no por
esso me atreverè a llamar a su Autor mal
Poeta, como Don Estevan Manuel de Villegas dijo que lo era, escriviendo al Dotor
Bartholomè Leonardo de Argensola. (e)

    Iràs del Helicon a la conquista
    Mejor que el mal Poeta de Cervantes,
    Donde no le valdrà ser Quijotista.

En cuyo Terceto aludiò a lo que avia dicho
Cervantes, (f) que los dos hermanos Leonardos, Lupercio, i Bartholomè, no avian
ido al Parnaso a dàr la batalla a los malos

       N 3   Poe-

(e) *En las Eroticas, Elegia 7.* (f) *Viage del*
Parnaso, cap. 3.

Poetas, porque estavan ocupados en Napoles
en el obsequio devido al Conde de Lemos.
Villegas pues torció el sentido de Cervantes, convirtiendo en Satira de aquellos grandes Ingenios el no aver ido al Parnaso; quando ellos se alegrarian de que cediesse esso en
gloria del Conde su Protector: i mas sabien-
do que Cervantes hacia de sì el justo aprecio: pues aun siendo mozos, los alabò muchissimo en su *Galatea*, (g) i despus en el
mismo *Viage del Parnaso*, llegando a decir (h)
en el lance mas apretado de la batalla:

> *Quiso Apolo indignado echar el resto*
> *De su poder, i de su fuerza sola,*
> *I dàr al enemigo fin molesto.*

> *I una Sacra Cancion, donde acrisola*
> *Su ingenio, gala, estilo, i bizarrìa*
> *Bartholomè Leonardo de Argensola:*

> *Qual si fuera un Petrarte Apolo embia*
> *A donde està el tesòn mas apretado,*
> *Mas dura, i mas furiosa la porfia.*

> *Quando me paro a contemplar mi estado,*
> *Comienza la Cancion,* (i) *que Apolo pone*
> *En el lugar mas noble, i levantado.*

168   I lo que mas es de admirar (en prueva

(g) *Lib.* 6. (h) *Cap.* 7. (i) *Rimas de Lupercio,*
i del Dotor Bartholomè Leonardo de Argen-
sola, pag. 316.

va de la rectitud del juicio de Cervantes) es, que alabava a los Leonardos, hallandose quejoso de ellos, porque no hacian con el Conde de Lemos los buenos oficios que le avian prometido. (k) Don Estevan Manuel de Villegas, que sabìa esto, por lisongear a Bartholomè Leonardo, torciò el pensamiento de Cervantes; i haciendo comparacion de uno, i otro, prefiriò a Bartholomè. De cuya censura no se puede hacer buen juicio, si no se habla con distincion, segun las especies de Poesìas. Porque en las Coplas de Arte Menor es maravilloso el juicio, i gravedad de Hernan Perez de Guzman, i de Don Jorge Manrique: como tambien el ingenio, discrecion, i gracia de Don Juan Manuel, Hernan-Megia, Gomez Manrique, Luis Bivero, Suarez, el Comendador Avila, Don Diego de Mendoza, i de otros muchissimos, cuyos pensamientos fueron agudissimos, i sus expressiones tan graciosas, como nobles. Es admirable la festividad de Castillejo; la urbanidad de Luis Galvez de Montalvo: el natural decir de todos estos, castizo, inteligible, i de todas maneras agradable. Garci-Lasso de la Vega es el unico Maestro de las Eclogas. De la Comedia, i Tragedia hablo

N 4 Yo

(k) *Viage del Parnaso*, cap. 3.

Yo en otra parte. De la Poesìa Lirica es Prìn-
cipe el que lo fuè de Esquilache, Don Francisco de Borja, a quien aventajò en erudicion Don Luis de Gongora; pero aunque
hizo Versos felicissimos, e inimitables, no
supo igualarle en la observacion del arte, i
pureza del estilo. La Satira, i Poesìa Heroica,
empezaron tarde en España. El Dotor Bartholomè Leonardo de Argensola guardò en
aquella el rigor del arte, como hombre ver-
sadissimo en los tres Satiricos Latinos, Horacio, Juvenal, i Persio, a quienes mas co-
piò, que imitò. Don Francisco de Quevedo
observò menos el arte, i fuè mas libre en la
reprehension. En todo manifestò su gran ingenio: pero en la *Epistola Satirica*, i *Censo-
ria contra las costumbres presentes de los Castellanos, escrita a Don Gaspar de Guzmàn,
Conde de Olivares en su Valimiento*, nos diò
a entender, que si no huviera querido dejarse llevar de su genio, huviera excedido a los
mayores Satiricos que ha tenido el Mundo.
Respeto de la Poesìa Heroica, mas quiero
que se lea el juicio de Cervantes, que el mio.
Introduce al Bachiller Sanson Carrasco, hablando de los famosos Poetas que avia en
España, i refiere, (l) *que decian, que no eran
sino*

(l) *Tom. II. cap. 4.*

sino tres i medio. El mismo Cervantes nos dirà quales son estos. Haciendo el Cura, i el Barbero el escrutinio de los Libros, dijo el Barbero: (m) *Aqui vienen tres todos juntos: La Araucana de Don Alonso de Ercilla: La Austriada de Juan Rufo, Jurado de Cordova: i El Monserrate de Christoval de Viruès, Poeta Valenciano. Todos essos tres libros,* dijo el Cura, *son los mejores que en Verso Heroico en Lengua Castellana estàn escritos, i pueden competir con los mas famosos de Italia. Guardense como las mas ricas prendas de Poesia, que tiene España.* El medio Poeta entiendo Yo que era el mismo Cervantes; pues en boca de Don Quijote dijo de sì mismo:(n) *A fè que deve de ser razonable Poeta, o Yo se poco del Arte.* I con razon; porque segun el testimonio del mismo Mercurio, (o) fuè raro Inventor, i la Invencion es la parte que anima la Poesia. En aquello mismo que inventa, suele guardar la devida puntualidad, i el comun decoro. (p) Pero como no tenia, ni la profunda erudicion que requiere la Poesia Heroica; ni su genio festivo podia atarse a los rigurosos precetos de una Arte tan sèria;

con

(m) *Tom. I. cap. 6.* (n) *Tom. I. cap. 23.* (o) *Viage del Parnaso, cap. 1.* (p) *Viage del Parnaso, cap. 6.*

con cuerda modeſtia no ſe atreviò a llamarſe
Poeta entero. I en efeto no diò mueſtras de
ſetlo, ni en el CANTO DE CALIOPE , (q)
ni en el VIAGE DEL PARNASO.

169   Eſte ultimo Libro (eſcrito a imitacion de Ceſar Caporal) a primera viſta parece una laudatoria de los Poetas de ſu tiempo;pero realmente es unaSatira contra ellos.
I por eſſo eſtà eſcrito en Tercetos. El intento del Autor ſe deſcubre en varias partes.
En una dice: (r)

    Deſta manera andava la Poeſìa
    De uno en otro , haciendo que hablaſſe,
    Eſte Latin , aquèl Algaravìa.

En otra parte (ſ) introduce a un Poeta mal
contento , reprehendiendo al nueſtro , porque ſin merito avìa canonizado a tantos.Las
palabras del Poetaſtro ſon èſtas:

    O tu (dixo) Traidor , que los Poetas
    Canonizaſte de la larga liſta
    Por cauſas , i por vias indiretas:
    Donde tenìas Magancès la viſta
    Aguda de tu ingenio ; que aſſi ciego
    Fuiſte tan mentiroſo Coroniſta?
    Yo te confieſſo , o Barbaro , i no niego,
    Que algunos de los muchos que eſcogiſte
                    (Sin

(q) *Veaſe el Lib.*5.*de ſu* Galatea.(r) *Viage del*
*Parnaſo, cap.*3. (ſ) *Viage del Parnaſo,cap.*4.

(*Sin que el respeto te forzasse, o ruego*)
En el devido punto los pusiste;
Pero con los demàs, sin duda alguna
Prodigo de alabanzas anduviste.

170   A cuyo cargo satisfizo con decir, que Mercurio le avìa dado aquella lista, i que tocava a Apolo, como a Dios de la Poesia, darles los puestos que pedìan sus ingenios, i habilidad.

171   Tambien es este VIAGE un MEMORIAL de Miguèl de Cervantes Saavedra; i como los hombres desvalidos, aunque modestos, se vèn obligados a referir sus meritos, porque no tienen otros que los cuenten; introduce dos Coloquios suyos, uno con Mercurio, a quien fingiò la Mithologia Mensagero de los Dioses, i otro con Apolo, Soberano Protector de las Ciencias; i en uno, i otro dijo Cervantes lo que convenìa que supiesse, i premiasse el Rei de España, por medio de su Privado: que los que lo son, tienen obligacion de referir a sus Amos los que merecen premio, o castigo, so pena de condenarse a sì propios a una infamia perpetua. El primer Coloquio con Mercurio dice assi:

Mandòme el Dios parlero luego alzarme,
I con medidos Versos, i sonantes,

Desta

Desta manera comenzò a hablarme:

O Atàn de los Poetas! o Cervantes!
 	Què alforjas, i què trage es este, amigo?
 	Que assi muestra discursos ignorantes.

Yo, respondiendo a su demanda, digo:
 	Señor, voi al Parnaso, i como pobre
 	Con èste aliño mi Jornada sigo.

I èl a mì dijo: O sobre humano, i sobre
 	Espiritu Cilenio levantado,
 	Toda abundancia, i todo honor te sobre.

Que en fin has respondido a ser Soldado,
 	Antiguo, i valeroso, qual lo muestra
 	La mano de que estàs estropeado.

Bien sè que en la Naval dura palestra
 	Perdiste el movimiento de la mano
 	Izquierda, para gloria de la distra.

I sè que aquel instinto sobre humano,
 	Que de raro inventor tu pecho encierra,
 	No te le ha dado el Padre Apolo en vano.

Tus Obras los rincones de la tierra,
 	(Llevandolas en grupa ROCINANTE)
 	Descubren ya la embidia, mueven guerra.

Passa, raro Inventor, passa adelante
 	Con tu sotìl disinio, i presta ayuda
 	A Apolo, que la tuya es importante:

Antes que el esquadron vulgar acuda
 	De mas de veinte mil Sietemesinos
 	Poetas, que de serlo estàn en duda.

Lle-

Llenas vàn ya las sendas , i caminos

   Desta canalla inutil contra el Monte,

   Que aun de estàr a su sombra no son dinos.

Armate de tus Versos luego , i ponte

   A punto de seguir èste Viage

   Conmigo , i a la gran Obra disponte.

Conmigo segurissimo passage

   Tendràs , sin que te empaches, ni procures

   Lo que suelen llamar matalotage.

172   El Razonamiento que Cervantes
hizo a Apolo , fue con ocasion de verse en el
Parnaso, siendo el unico que no tenìa assiento en èl ; aludiendo a la desestimacion que
se hacìa de su ingenio , aviendo sido el que
en su tiempo empezò a levantar la Poesìa.
Como en èste Razonamiento dijo Cervantes
de sì propio muchas cosas , es preciso co-
piarlo. Dice assi. (t)

Suele la indignacion componer Versos;

   Pero si el indignado es algun tonto,

   Ellos tendràn su todo de perversos.

De mi Yo no sè mas , sino que pronto

   Me ballè para decir en tercia rima

   Lo que no dijo el desterrado a Ponto.

I assi le dige a Delio : No se estima,

   Señor , del vulgo vano el que te sigue,

   I al Arbol sacro del Laurèl se arrima.

                                              La

(t) Cap. 4.

La embidia , i la ignorancia le persigue.
    I assi , embidiado siempre , i perseguido
    El bien que espera , por jamas consigue.

Yo cortè con mi ingenio aquel vestido,
    Con q̃ al Mundo la hermosa GALATEA
    Saliò para librarse del olvido.

Soi por quien la CONFUSA nada fea
    Parecìò en los Theatros admirable.
    (Si esto a su fama es justo se le crea.)

Yo con estilo en parte razonable
    He cõpuesto COMEDIAS, q̃ en su tièpo
    Tuvieron de lo grave, i de lo afable.

Yo he dado en D. QUIJOTE passatiempo
    Al pecho melancolico , i mohino,
    En qualquiera sazon, en todo tiempo.

Yo he abierto en mis NOVELAS un camino
    Por do la Lengua Castellana puede
    Mostrar con propiedad un desatino.

Yo soi aquel que en la Invencion excede
    A muchos; i al que falta en esta parte,
    Es fuerza que su fama falta quede.

Desde mis tiernos años amè el Arte
    Dulce de la agradable Poesia,
    I en ella procurè siempre agradarte.

Nunca volò la pluma humilde mia
    Por la region Satirica: bageza,
    Que a infames premios i desgracias guia.

Yo el SONETO compuse, que assi empieza.

Por honra principal de mis Escritos;
  Voto a Dios, q̃ me espanta esta grandeza.
Yo he compuesto ROMANCES infinitos:
  I el DE LOS CELOS es aquel que estimo
  Entre otros, que los tengo por malditos.
Por esto me congojo, i me lastimo
  De verme solo en pie, sin que se aplique
  Arbol que me conceda algun arrimo.
Yo estoi (qual decir suelen) puesto a pique
  Para dar a la estampa el Gran PERSILES,
  Con que mi nombre, i Obras multiplique.
Yo en pensamientos castos, i sotiles
  (Dispuestos en SONETO de a docena)
  He honrado tres Sugetos Fregoniles.
Tambien al par de FILIS mi FILENA
  Resonò por las selvas que escucharon
  Mas de una, i otra alegre Cantilena.
I en dulces varias rimas se llevaron
  Mis esperanzas los ligeros vientos,
  Que en ellos, i en la arena se sembraron.
Tuve, tengo, i tendrè los pensamientos
  (Merced al Cielo, q̃ a tal bien me inclina)
  De toda adulacion libres, i essentos.
Nunca pongo los pies por do camina
  La mentira, la fraude, i el engaño,
  De la santa Virtud total ruina.
Con mi corta fortuna no me ensaño,
  Aunque por verme en pie, como me veo;

I

I en tal lugar , pondèro affi mi daño.
Con poco me contento , aunque defeo
   Mucho. A cuyas razones enojadas
   Con èftas blandas refpondiò Timbreo:
Vienen las malas fuertes atraffadas,
   I toman tan de lejos la corriente,
   Que fon temidas, pero no efcufadas.
El bien les viene a algunos de repente,
   A otros poco a poco , i fin penfallo;
   I el mal no guarda eftilo diferente.
El bien que eftà adquirido , confervallo
   Con maña , diligencia, i con cordura,
   Es no menor virtud, que el grangeallo:
Tu mifmo te bas forjado tu ventura:
   I Yo te be vifto alguna vez con ella:
   Pero en el imprudente poco dura.
Mas fi quieres falir de tu querella,
   Alegre , i no confufo, i confolado,
   Dobla tu capa , i fientate fobre ella.
Que tal vez fuele un venturofo eftado,
   Quando le niega fin razon la fuerte,
   Honrar mas merecido, que alcanzado.
Bien parece, Señor, que no fe advierte,
   (Le refpondì) que Yo no tengo capa.
   El dijo: Aunque fea affi; gufto de verte.
La virtud es un manto con que tapa,
   I cubre fu indecencia la eftrecheza,
   Que effenta, i libre de la embidia efcapa.

                    Iu.

Inclinè al gran Consejo la cabeza.

   Quedème en pie, que no ai asiento bueno,
   Si el favor no le labra, o la riqueza.

Alguno mormurò, viendome ageno
   Del honor que pensò se me devia
   Del Planeta de luz, i virtud lleno.

173 Miguèl de Cervantes Saavedra dice en este MEMORIAL, que su pluma nunca volò por la region Satirica, queriendo decir, que nunca hizo libelos infamatorios. Pero esta es una SATIRA mui penetrante, que en qualquiera pecho que no sea inhumano, excita la misericordia de vèr desvalido un Ingenio, de quien hizo juicio el sabio Critico Pedro Daniel Huet, (u) que deve contarse entre los Ingenios mas aventajados que ha tenido España; i conmueve al mismo tiempo la indignacion contra los que teniendo a vista su merito, no le premiaron segun devian. Yo no lo estraño, porque el Padre Juan de Mariana, honra immortal de la Compañia de Jesùs, escriviendo a Miguèl Juan Vimbodi, (x) natural de la Villa de Ontiniente en el Reino de Valencia, que a la sazon se hallava en la Corte Romana sirO   vien-

(u) *Lettre de l'Origine des Romans.* (x) *Apud Leonem Allatium in* Apibus Urbanis, *pagin.* 196.

viendo de Secretario al Cardenal Don Aguſtin de Eſpinola , Arzobiſpo de Santiago , le
dice: *Aqui ſe echa menos a cada paſſo la cultu-*
ra de las Letras Humanas. Como no ſe ofreſen
por ellas premios algunos , ni tampoco honra,
eſtàn abatidas miſerablemente. Las que dàn
que ganar,ſe eſtiman.Eſto es lo que paſſa en-
tre noſotros. I es, que como caſi todos valoran
las Artes por la utilidad , i ganancia , tienen
por inutiles las que no redituan. No era el
Padre Mariana uno de aquellos liſongeros
en todos tiempos tan frequentes , que ſolo
ſecreteando , i con grandes miſterios dicen
las verdades. Quejandoſe de lo miſmo no
menos que con Felipe III. le dijo a viſta de
todo el Mundo: (y) *Mas què maravilla, pues*
ninguno por eſte camino ſe adelanta? Ningun
premio ai en el Reino para eſtas Letras. Nin-
guna honra, que es la Madre de las Artes. Algunos animos viles , que reconociendo las
virtudes agenas , ſe atormentan embidian-
dolas ; i ſe enfurecen de que los miſmos que
las tienen las acuerden para ſer remunera-
dos , interpretaràn como arrogancia aquellas juſtiſsimas quejas en que prorrumpiò
Cervantes. Pero èl pudiera decir lo que en
oca-

(y) *En la Dedicatoria de ſu Hiſtoria de las*
Coſas de Eſpaña.

ocasion semejante el igualmente desfavore-
cido, que erudito Don Josef Pullicer. (z)
I no sin justificacion. Porque no se deve negar
al Estudioso lo que es licito al Militar. A qual-
quier Soldado le es permitido recapitular con
verdad los servicios, ocasiones, i trances en que
intervino: i esta fue virtud, no sobervia, quan-
do en Roma se merecian los anillos Militares, i
las guirnaldas, Murales, i Civicas, los Trofeos,
i Triunfos publicos. Ansi no se deve atribuir a
elacion, que Yo haga alarde de operaciones, i de
honores, quando la ignorancia, i la maledicen-
cia, dan motivo a ello con injurias, i calumnias,
tambien publicas. Si Yo mintiesse en ello, fuera
crimen. Pero, por mi verdad, seria ligereza,
siendo Yo vivo, permitir la Relacion de lo que
he llegado a obtener, a otra pluma. Assi lo
practicaron los mayores Hombres de España, Don Antonio Agustin, Geronimo de
Zurita, el Dotor Benito Arias Montano, el
Maestro Fr. Luis de Leon, el Padre Juan de
Mariana, Don Nicolàs Antonio, Don Juan
Lucas Cortès. I por decirlo en una palabra,
què Hombre grande no lo ha practicado assi
en su caso, i lugar? Mengua del saber llamò
San Pablo (a) a las alabanzas de sì propio;

O 2
pe-

(z) *En el Sincello, §. 2. de la introducion.*
(a) *2. ad Corinth. 12. v. 11.*

pero mengua a que tal vez suele obligar la injusticia agena. En Cervantes eran desahogo del justo sentimiento de su disfavor, i mui tolerables, atendiendo su genio; pues como dijo el mismo: (b)

> *Jamás me contenté, ni satisfice*
> *De Hipocritos melindres. Llanamente*
> *Quise alabanzas de lo que bien hice.*

Pero como no las encontrava en otros por la embidia que le tenian, les dió ocasion de tenersela mayor, no con fin de aumentarsela; sino de manifestar la satisfacion de su propia conciencia, refrescando la memoria de lo que avia trabajado en beneficio publico. Por esso en el gracioso Coloquio que tuvo con Pancracio de Roncesvalles, el qual puede servir de comento al Razonamiento de Cervantes con Apolo; introdujo al dicho Pancracio, figura de un remislado Poeta de aquellos tiempos, preguntandole: (c) ,, I ,, U. M. Señor Cervantes, (dijo el) ha sido ,, aficionado a la Caratula? Ha compuesto ,, alguna Comedia? Si, dige Yo: muchas. ,, I a no ser mias, me parecieran dignas de ,, alabanza, como lo fueron LOS TRATOS ,, DE

(b) *En el Viage del Parnaso, cap. 4.*
(c) *En la Adjunta al Viage del Parnaso.*

,, DE ARGEL , (d) LA NUMANCIA,
,, LA GRAN TURQUESCA , LA BATA-
,, LLA NAVAL , LA GERUSALEN , LA
,, AMARANTA , ò LA DEL MAYO , EL
,, BOSQUE AMOROSO , LA UNICA,
,, I LA VIZARRA ARSINDA, i otras mu-
,, chas de que no me acuerdo. Mas la que Yo
,, mas estimo, i de la que mas me precio, fuè,
,, i es de una llamada LA CONFUSA , la
,, qual (con paz sea dicho, de quantas Come-
,, dias de capa , i espada hasta hoi se han re-
,, presentado) bien puede tener lugar señala-
,, do por buena entre las mejores. *Pancracio.*
,, I agora tiene V.M. algunas ? *Miguèl.* Seis
,, tengo , con otros seis ENTREMESES.
,, *Pancr.* Pues por què no se representan?
,, *Miguèl.* Porque ni los Autores me buscan,
,, ni Yo los voi a buscar a ellos. *Pancr.* No
,, deven de saber que V.M. las tiene. *Miguèl.*
,, Si saben ; pero como tienen sus Poetas
,, paniaguados , i les và bien con ellos ; no
,, buscan pan de trastrigo. Pero Yo pienso
,, darlas a la estampa, para que se vea despa-
,, cio lo que passa apriessa , i se dissimula , o
,, no se entiende quando las representan.

O 3   I

(d) *He leido manuscrita esta Comedia. Està
escrita con mayor verosimilitud , que las impressas.*

,, I las COMEDIAS tienen sus sazones , i
,, tiempos, como los CANTARES.,, Hasta
aqui Cervantes, cuyo Coloquio fuè un como
Prologo echadizo, que anticipò al Libro que
publicò el año siguiente con este titulo:

*Ocho Comedias , i ocho Entremeses nuevos,
nunca representados , compuestas por Miguèl
de Cervantes Saavedra. En Madrid por la
Viuda de Alonso Martin, Año 1615. en 4.*

174 Llegò Cervantes a tan miserable estado de pobreza , que por no tener caudal
para imprimir este Libro , le vendiò a Juan
Villaroèl, a cuyas costas se imprimiò.

Los nombres de estas COMEDIAS son
los siguientes.

El Gallardo Español.
La Casa de los Celos.
Los Baños de Argel.
El Rufian Dichoso.
La Gran Sultana.
El Laberinto de Amor.
La Entretenida.
Pedro de Urdemalas.

ENTREMESES.

El Juez de los Diborcios.
El Rufian Viudo.
Elección de los Alcaldes de
Daganzo.   La

La Guarda Cuidadosa.

El Vizcaino fingido.

El Retablo de las Maravillas.

La Cueva de Salamanca.

El Viejo Celoso.

El ENTREMES segundo, i tercero están escritos en Verso; los demás en Prosa. Como esta especie de composicion, es una viva representacion de qualesquiera acciones remedadas de suerte que parezcan ridiculas: siempre los ENTREMESES parecen mejor representados, que leidos. I assi Lope de Rueda, que viviendo embelesava a los mirones, leido en los ENTREMESES, que publicò Juan de Timoneda, famoso Valenciano, i Escritor plausible en su tiempo, dà poquissimo gusto.

175 Las COMEDIAS de Cervantes, comparadas con otras mas antiguas, son mucho mejores, exceptuando siempre la de CALISTO, I MELIVEA, conocida por el nombre de CELESTINA, Alcahueta tan infame, como famosa por el incierto Autor, que primero la ideò, i empezò a dibujar, i colorir; porque el Bachillèr Fernando de Rojas, que le diò fin, no pudo igualar al primer Inventor. Despues de Cervantes se han compuesto Comedias de mayor invencion que

O 4

las

las Griegas (porque los Comicos Latinos, Plauto, i Terencio, solo imitaron) pero de Arte mucho inferior. El que dudáre esto; informese primero de la suma dificultad que tiene el Arte Comica, leyendo a Aristoteles en su *Poetica*; i si no puede entenderla, a Don Jusepe Antonio Gonzalez de Salas, en su eruditissima *Ilustracion de la Poetica de Aristoteles*. Pero para que el Letor quède mas bien informado de lo que deven a Cervantes los Theatros de España, oigamosle a èl, como a Chronista unico de los progressos de la Comica en estos Reinos. En el Prologo que hizo a sus *Comedias*, dice assi.

,, No puedo dejar (Letor carissimo) de ,, suplicarte me perdones, si vieres que en ,, este Prologo salgo algun tanto de mi acos- ,, tumbrada modestia. Los dias passados me ,, hallè en una conversacion de amigos, don- ,, de se tratò de Comedias, i de las cosas a ,, ellas concernientes; i de tal manera las su- ,, tilizaron, i atildaron, que a mi parecer vi- ,, nieron a quedar en punto de toda perfec- ,, cion. Tratòse tambien de quien fuè el pri- ,, mero que en España las sacò de mantillas, ,, i las puso en toldo, i vistiò de gala, i apa- ,, riencia. Yo, como el mas viejo que allì ,, estava, dige que me acordava de aver visto
,, re-

,, reprefentar al gran Lope de Rueda, Varon
,, infigne en la reprefentacion, i en el enten-
,, dimiento. Fuè natural de Sevilla, i de Ofi-
,, cio batihoja, que quiere decir, de los que
,, hacen panes de Oro. Fuè admirable en la
,, Poefia Paftoril; i en efte modo, ni enton-
,, ces, ni defpues acà ninguno le ha llevado
,, ventaja; i aunque por fer muchacho Yo
,, entonces, no podia hacer juicio firme de
,, la bondad de fus Verfos; por algunos que
,, me quedaron en la memoria, viftos agora
,, en la edad madura que tengo, hallo fer
,, verdad lo que he dicho. I, fi no fuera por
,, no falir del propofito de Prologo, pufiera
,, aqui algunos que acreditaran efta verdad.
,, En el tiempo de efte celebre Efpañol to-
,, dos los aparatos de un Autor de Comedias
,, fe encerravan en un coftal, i fe cifravan en
,, quatro pellicos blancos, guarnecidos de
,, guadameci dorado, i en quatro barbas, i
,, cabelleras, i quatro cayados, poco mas,
,, o menos. Las Comedias eran unos Colo-
,, quios como Eglogas entre dos, o tres Paf-
,, tores, i alguna Paftora. Aderezavanlas, i
,, dilatavanlas con dos, o tres Entremetes,
,, ya de Negra, ya de Rufian, ya de Bobo, i
,, ya de Vizcaino; que todas eftas quatro fi-
,, guras, i otras muchas hacia el tal Lope
con

,, con la mayor excelencia , i propiedad que
,, pudiera imaginàrfe. No avia en aquel
,, tiempo tramoyas , ni defafios de Moros, i
,, Chriftianos, a pie, ni a cavallo. No avia fi-
,, gura que falieffe, ò parecieffe falir del cen-
,, tro de la tierra por lo hueco del Teatro,
,, al qual componian quatro bancos en qua-
,, dro , i quatro, o feis tablas encima , con
,, que fe levantava del fuelo quatro pal-
,, mos. Ni menos baxavan del Cielo nu-
,, bes con Angeles, o con Almas. El ador-
,, no del Teatro era una manta vieja tira-
,, da con dos cordeles de una parte a otra,
,, que hacìa lo que llaman veftuario ; de-
,, tràs de la qual eftaban los Muficos can-
,, tando , fin guitarra , algun Romance an-
,, tiguo. Muriò Lope de Rueda , i por
,, hombre excelente , i famofo le enterraron
,, en la Iglefia Mayor de Cordova (donde
,, muriò) entre los dos Coros , donde tam-
,, bien eftà enterrado aquel famofo loco Luis
,, Lopez. Sucediò a Lope de Rueda, Nahar-
,, ro , natural de Toledo , el qual fue famofo
,, en hacer la figura de un Rufian cobarde.
,, Efte levantò algun tanto mas el adorno de
,, las Comedias, i mudò el coftal de veftidos
,, en cofres, i en baùles. Sacò la Mufica, que
,, antes cantava detras de la manta , al Tea-
,, tro

,, tro pùblico : quitò las barbas de los Far-
,, fantes, que hafta entonces ninguno repre-
,, sentaba fin barba poftiza; i hizo que todos
,, representasen a cureña rafa, fino era los
,, que avian de representar los Viejos, o
,, otras figuras, que pidieffen mudanza de
,, roftro. Inventò tramoyas, nubes, truenos,
,, i relampagos, desafios, i batallas : pero
,, efto no llegò al sublime punto en que eftà
,, agora : i efto es verdad que no fe me pue-
,, de contradecir, (i aqui entra el falir Yo de
,, los limites de mi llaneza) que fe vieron en
,, los Teatros de Madrid representar *LOS*
,, *TRATOS DE ARGEL*, que Yo compufe,
,, *La Deftruicion de NUMANCIA*, i *LA*
,, *BATALLA NAVAL*, donde me atreví a
,, reducir las Comedias a tres Jornadas, de
,, cinco que tenian. Moftrè (o por mejor de-
,, cir) fui el primero que representaffe las
,, imaginaciones, i los penfamientos efcon-
,, didos del alma, facando figuras Morales al
,, Teatro, con general, i guftoso aplauso de
,, los oyentes. Compuse en efte tiempo hafta
,, veinte Comedias, o treinta, que todas
,, ellas fe recitaron, fin que fe les ofreciesfe
,, ofrenda de pepinos, ni de otra cofa arro-
,, jadiza. Corrieron su carrera fin filvos, gri-
,, tas, ni barahundas. Tuve otras cofas en
,, que

,, que ocuparme Dege la pluma, i las Come-
,, dias. I entrò luego el Monstruo de Natu-
,, raleza, el gran Lope de Vega, i alzòse con
,, la Monarquìa Comica : avassallò, i puso
,, debajo de su jurisdicion a todos los Far-
,, santes: llenò el Mundo de Comedias pro-
,, pias, felices, i bien razonadas; i tantas, que
,, passan de diez mil pliegos los que tiene
,, escritos : i todas (que es una de las mayo-
,, res cosas, que puede decirse) las ha visto
,, representar, o oìdo decir (por lo menos)
,, que se han representado. I si algunos (que
,, ai muchos) han querido entrar a la parte,
,, i gloria de sus trabajos: todos juntos no
,, llegan en lo que han escrito, a la mitad de
,, lo que èl solo. Pero no por esto (pues no
,, lo concede Dios todo a todos) degen de
,, tenerse en precio los trabajos del Dotor
,, Ramon, que fueron los mas despues de los
,, del gran Lope. Estimense las trazas artifi-
,, ciosas en todo estremo del Licenciado
,, Miguèl Sanchez : la gravedad del Dotor
,, Mira de Mescua, hombre singular de nues-
,, tra Nacion : la discrecion, e inumerables
,, conceptos del Canonigo Tarraga : la sua-
,, vidad, i dulzura de Don Guillèn de Cas-
,, tro : la agudeza de Aguilar : el tropel, e
,, boato, la grandeza de las Comedias de
,, Luis

,, Luis Velez de Guevara: i las que agora ef-
,, tan en gerga del agudo ingenio de Don
,, Antonio de Galarza : i las que prometen
,, las fullerias de Amor de Gaspar de Avila,
,, que todos eſtos , i otros algunos han ayu-
,, dado a llevar eſta gran maquina al gran
,, Lope. Algunos años ha que bolvi Yo a mi
,, antigua ocioſidad; i penſando que aun du-
,, raban los ſiglos , donde corrian mis ala-
,, banzas ; bolvi a componer algunas Come-
,, dias; pero no halle pajaros en los nidos de
,, antaño. Quiero decir, que no halle Autor
,, que me las pidieſſe, pueſto que ſabian que
,, las tenia. I aſsi las arrinconè en un cofre,
,, i las conſagrè, i condenè al perpetuo ſilen-
,, cio. En eſta ſazon me dijo un Librero, que
,, èl me las compràra, ſi un Autor de Titulo
,, no le huviera dicho , que de mi Proſa ſe
,, podia eſperar mucho , pero que del Verſo
,, nada. I ſi và a decir la verdad , cierto que
,, me diò peſadumbre el oirlo, i dije entre
,, mi : O Yo me he mudado en otro ; o los
,, tiempos ſe han mejorado mucho , ſuce-
,, diendo ſiempre al revès ; pues ſiempre ſe
,, alaban los paſſados tiempos. Torne a paſ-
,, ſar los ojos por mis Comedias, i por algu-
,, nos Entremeſes mios , que con ellas eſta-
,, van arrinconados, i vì no ſer tan malas, ni
,, tan

,, tan malos, que no mereciessen salir de las
,, tinieblas del ingenio de aquel Autor , a la
,, luz de otros Autores menos escrupulosos,
,, i mas entendidos. Aburrime, i vendiselas
,, al tal Librero , que las ha puesto en estam-
,, pa, como aqui te las ofrece. El me las pa-
,, gò razonablemente. Yo cogi mi dinero
,, con suavidad, sin tener quenta con dimes,
,, ni diretes de Reitantes. Querria que fues-
,, sen las mejores del Mundo , o a lo menos,
,, razonables. Tu lo veràs (Letor mio) i si
,, hallares que tienen alguna cosa buena , en
,, topando a aquel mi maldiciente Autor,
,, dile que se enmiende , pues Yo no ofendo
,, a nadie; i que advierta , que no tienen ne-
,, cedades patentes, i descubiertas ; i que el
,, Verso es el mismo que piden las Come-
,, dias, que ha de ser de los tres estilos el in-
,, fimo ; i que el Lenguage de los Entreme-
,, ses es propio de las Figuras que en ellos se
,, introducen ; i que para enmienda de todo
,, esto , le ofrezco una Comedia , que estoi
,, componiendo, i la intitulo: EL ENGAÑO
,, A LOS OJOS, que (si no me engaño) le ha
,, de dàr contento. I con esto Dios te dè sa-
,, lud, i a mi paciencia.

176   Esta es la Historia de los Progressos
de la Comica Española. Avia sido Cervantes
el

el que mas la avìa adelantado; i para perfi-
cionarla mas, quiso darnos un exemplo de
una gran TRAGI COMEDIA, escrita en
Prosa. Muchos años avìa que estava medi-
tando, i escriviendo LOS TRABAJOS DE
PERSILES I SIGISMUNDA. Avialos ofre-
cido en varias ocasines. En el *Prologo* de sus
Novelas, hablando destas dijo: *Tras ellas,*
si la vida no me deja, *te ofrezco* LOS TRA-
BAJOS DE PERSILES: *Libro que se atreve*
a competir con HELIODORO: *si ya por atre-*
vido no sale con las manos en la cabeza. *I pri-*
mero veras, *i con brevedad, dilatadas las Ha-*
zañas de DON QUIJOTE, *i Donaires de*
SANCHO PANZA. *I luego* LAS SEMANAS
DEL JARDIN. *Mucho prometo con fuerzas*
tan pocas, *como las mias. Pero quien pondrà*
rienda a los deseos? La Continuacion de la
HISTORIA DE DON QUIJOTE saliò, co-
mo vimos, el Año 1616. En su DEDICA-
TORIA al Conde de Lemos, fecha en Madrid ultimo de Octubre de 1615, llegò Cervantes a decir èsto: *Con èsto me despido, ofre-*
ciendo a V. Exc. LOS TRABAJOS DE PER-
SILES I SIGISMUNDA: *Libro a quien darè*
fin dentro de quatro meses, Deo volente: *el*
qual ha de ser, *o el mas malo*, *o el mejor que*
en nuestra Lengua se aya compuesto: quiero

de-

decir, de los de entretenimiento. I digo, que
me arrepiento de aver dicho, el mas malo;
porque según la opinion de n is Amigos, ha de
llegar al estremo de bondad possible. Venga
V. Exc. con la salud (e) que es deseado: que
ya estarà PERSILES para besarle las manos,
y Yo los pies, como Criado que soi de V. Exc.
En esto Cervantes acabò de escrivir LOS
TRABAJOS DE PERSILES I SIGISMUN-
DA; pero antes que saliessen a luz, acabò
la muerte con èl.

177   Su enfermedad fue tal, que èl mismo pudo ser, i fuè su Historiador. I porque
no tenemos otro, i refiere todas las cosas
con tanta gracia; veamos lo que dejò escrito en el fin del *Prologo* que pensava hacer, o
sea Prologo entero, empezado *ex abrupto*,
donde dice assi: ,, Sucediò, pues, Letor
,, amantissimo, que viniendo otros dos ami-
,, gos, i Yo del famoso Lugar de Esquivias,
,, por mil causas famoso, una por sus ilus-
,, tres Linages, i otra por sus ilustrissimos
,, Vinos, sentì que a mis espaldas venìa pi-
,, cando con gran priessa uno, que al pare-
,, cer traìa deseo de alcanzarnos, i aun lo
,, mostrò, dandonos voces, que no picasse-
                                    ,, mos

(e) *Hallabase Presidente del Consejo Supremo
de Italia.*

,, mos tanto. Esperamosle, i llegò sobre una
,, borrica un Estudiante pardàl, porque to-
,, do venìa vestido de pardo, antiparas, za-
,, pato redondo, i espada con contera, va-
,, lona bruñida, i con trenzas iguales. Ver-
,, dad es, no traìa mas de dos, porque se le
,, venìa a un lado la valona por momentos,
,, i èl traìa sumo trabajo, i cuenta de ende-
,, rezarla. Llegando a nosotros, dijo: Vuessas
,, Mercedes van a alcanzar algun oficio, o
,, prebenda a la Corte? pues allà està su Illus-
,, trissima de Toledo, i su Magestad ni mas,
,, ni menos, segun la priessa con que cami-
,, nan: que en verdad que a mi burra se le
,, hà cantado el Vitor de caminante mas de
,, una vez. A lo qual respondiò uno de mis
,, Compañeros: El rocin del Señor Miguèl
,, de Cervantes tiene la culpa desto, porque
,, es algo què passilargo. Apenas huvo oìdo
,, el Estudiante el nombre de Cervantes, quan-
,, do apeandose de su cavalgadura, cayen-
,, dosele aqui el cogin, i allì el portamanteo
,, (que con toda esta autoridad caminava)
,, arremetiò a mì; i acudiendo a asirme de la
,, mano izquierda, dijo: Sì, sì, este es el
,, manco sano, el famoso todo, el Escritor
,, alegre, i finalmente el regocijo de las Mu-
,, sas! Yo, que en tan poco espacio vì el

P

,, gran-

,, grande encomio de mis alabanzas ; pare-
,, ciòme ſer deſcorteſia no correſponder a
,, ellas , i aſsi , abrazandole por el cuello,
,, donde le echè a perder de todo punto la
,, valona ; le dige : Eſſe es un error , donde
,, han caìdo muchos aficionados ignorantes.
,, Yo , Señor , ſoi Cervantes ; pero no el re-
,, gocijo de las Muſas, ni ninguna de las de-
,, màs baratijas, que ha dicho V. M. Buelva
,, a cobrar ſu burra, i ſuba , i caminemos en
,, buena converſacion, lo poco que nos falta
,, del camino. Hizolo aſsi el comedido Eſtu-
,, diante. Tuvimos algun tanto mas las rien-
,, das , i con paſſo aſſentado ſeguimos nueſ-
,, tro camino , en el qual ſe tratò de mi en-
,, fermedad, i el buen Eſtudiante me deſahu-
,, cio al momento, diciendo : Eſta enferme-
,, dad es de hidropeſia , que no la ſanarà to-
,, da el agua del Mar Occeano , que dulce-
,, mente ſe bevieſſe. Vueſſa Mrd. Señor Cer-
,, vantes ponga taſſa al bever , no olvidan-
,, doſe de comer ; que con èſto ſanarà , ſin
,, otra medicina alguna. Eſſo me han dicho
,, muchos, reſpondi Yo. Pero aſsi puedo de-
,, jar de bever a todo mi beneplacito , como
,, ſi para ſolo eſſo huviera nacido. Mi vida
,, ſe va acabando, i al paſſo de las efemeridas
,, de mis pulſos, que , a mas tardar acaba-
,, ràn

,, ràn su carrera èste Domingo , acabarè Yo
,, la de mi vida. En fuerte punto ha llegado
,, Vuessa Mrd. a conocerme; pues no me
,, queda espacio para mostrarme agradecido
,, a la voluntad que Vuessa Mrd. me ha mol-
,, trado. En esto llegàmos a la Puente de To-
,, ledo: i Yo entrè por ella , i èl se apartò a
,, entrar por la de Segovia. Lo que se dirà
,, de mi sucesso, tendrà la fama cuidado: mis
,, Amigos gana de decillo, i Yo mayor ga-
,, na de escuchallò. Tornele a abrazar. Vol-
,, viòseme a ofrecer. Picò a su burra: i de-
,, jòme tan mal dispuesto, como èl iva ca-
,, vallero en su burra, quien avia dado gran
,, ocasion a mi pluma para escrivir donaires.
,, A Dios regocijados Amigos; que Yo me
,, voi muriendo, i deseando veros presto
,, contentos, en la otra vida. ,, La de Cervantes estava ya en el confin de la muerte.
La hidropesia se le agravò. Pero quanto mas
le debilitava el cuerpo; tanto mas procurava èl fortalecer su animo; i aviendo recibido la Extrema Uncion para salir vitorioso,
como Atleta Christiano, en la ultima lucha;
esperava la muerte con animo tan sereno,
que parece no la temia: i lo que es mas de
admirar, aun estava para decir, i escrivir
donaires: de suerte, que aviendo recibido

el

el ultimo Sacramento dia 18. de Abril del
Año 1616. el dia siguiente escriviò, o dictò
la DEDICATORIA de LOS TRABAJOS
DE PERSILES I SIGISMUNDA, citando
Coplas a su Patron el Conde de Lemos, para
quien dejò escrita la siguiente Dedicatoria.

,, Aquellas Coplas antiguas, que fueron
,, en su tiempo celebradas, que comienzan:
,, *Puesto ya el pie en el estrivo*, quisiera Yo
,, no vinieran tan a pelo en mi Epistola; por-
,, que casi con las mismas palabras las puedo
,, comenzar, diciendo:

Puesto ya el pie en el estrivo
Con las ansias de la muerte,
Gran Señor, èsta te escrivo.

,, Ayer me dieron la Extrema-Uncion, i hoi
,, escrivo èsta. El tiempo es breve, las ansias
,, crecen, las esperanzas menguan, i con to-
,, do esto llèvo la vida sobre el deseo que
,, tengo de vivir, i quisiera Yo ponerle coto,
,, hasta besar los pies a V.Exc. que podrìa ser
,, fuesse tanto el contento de vèr a V. Exc.
,, bueno en España, qne me bolviesse a dar
,, la vida: pero si està decretado que la aya
,, de perder, cùmplase la voluntad de los
,, Cielos; i por lo menos sepa V. Exc. èste
,, mi deseo, i sepa que tuvo en mì un tan
,, aficionado Criado de servirle, que quiso
,, pas-

,, paſſar aun mas alla de la muerte, moſtran-
,, do ſu intencion. Con todo èſto, como en
,, profecìa, me alegro de la llegada de V. Exc.
,, Regocìjome de verle ſeñalar con el dedo,
,, i realègrome de que ſalieron verdaderas
,, mis eſperanzas, dilatadas en la fama de
,, las bondades de V. Exc. Todavìa me que-
,, dan en el alma ciertas reliquias, i aſſomos
,, de LAS SEMANAS DEL JARDIN, i del
,, famoſo BERNARDO. Si a dicha, por bue-
,, na ventura mia, que ya no ſerìa ventura,
,, ſino milagro, me dieſſe el Cielo vida, las
,, verà, i con ellas fin de la GALATEA, de
,, quien ſè eſtà aficionado V. Exc. I con èſtas
,, Obras, continuando mi deſeo, guarde
,, Dios a V. Ec. como puede. De Madrid a
,, 19. de Abril de 1616. años.

   Criado de V. Exc. Miguèl de Cervantes.

178 Don Thomàs Tamayo de Bargas,
movido de la fecha de èſta Carta, eſcriviò en
la *Continuacion del Enquiridion de los Tiem-*
pos de Frai Alonſo Venero, que Miguèl de
Cervantes Saavedra muriò el miſmo dia diez
i nueve; pero de un Libro de Entierros, que
ſe conſerva en Madrid en la Igleſia Parro-
quial de San Sebaſtian, conſta que muriò en
la calle de Leon dia veinte i tres de Abril
del referido año 1616. aviendo mandado que

le

le enterraſſen en el Convento de las Monjas Trinitarias , i dejado por Teſtamentaria ſuya a ſu muger Doña Cathalina de Salazar , a la qual en el dia 24. de Septiembre de dicho año ſe concediò licencia para imprimir los TRABAJOS DE PERSILES I SIGISMUNDA; que ſalieron a luz con èſte Titulo.

Los Trabajos de Perſiles i Sigiſmunda, Hiſtoria Setentrional , por Miguèl de Cervantes Saavedra. En Madrid por Juan de la Cueſta, Año 1617. en 4. Dentro de pocos años los tradujo en Italiano Franciſco Elio , Milanès; i ſalieron impreſſos en Venecia de la Oficina de Bartholomè Fontana , Año 1626. en 8.

179 En la primera Impreſſion ai dos Epitaſios , tales , que para ſu duracion merecian gravarſe en bien ligero corcho. El uno es un Soneto de Luis Franciſco Calderòn, que no contiene coſa particular. El otro es una Decima , que por el raro penſamiento de quien la hizo , ſe trasladatà aquì al pie de la letra.

180 *De D. Franciſco de Urbina a Miguèl de Cervantes, inſigne, i Chriſtiano Ingenio de nueſtros tiempos, a quien llevaron los Terceros de San Franciſco a enterrar con la cara deſcubierta , como a Tercero que era.*

EPI-

EPITAFIO.

Caminante , el Peregrino
Cervantes aqui se encierra.
Su cuerpo cubre la tierra;
No su nombre , que es divino.
En fin hizo su camino:
Pero su fama no es muerta,
Ni sus Obras. Prenda cierta
De que pudo a la partida
Desde èsta a la eterna vida
Ir la cara descubierta.

181 Este Epitafio diò ocasion al Autor de la BIBLIOTHECA FRANCISCANA para poner en ella a Cervantes como uno de los Escritores , que fueron Hermanos de la Cofradìa de la Tercera Orden : Bibliotheca, que si los ha de comprehender a todos , serà ciertamente la mas copiosa de todas.

182 Cervantes dijo, que su PERSILES I SIGISMUNDA se atrevìa a competir con HELIODORO. La mayor alabanza que podemos darle, es decir, que es cierto. Los amores que refiere son castissimos; la fecundidad de la invencion maravillosa ; en tanto grado, que pròdigo su ingenio , excediò en la multitud de Episodios. Los Sucessos son muchos, i mui varios. En unos se descubre la imitacion de Heliodoro, i de otros , mui mejora-da;

P 4

da ; en los demàs campèa la novedad. Todos eſtàn diſpueſtos con arte, i bien explica-
dos, con circunſtancias caſi ſiempre veroſi-
miles. Quanto mas ſe interna el Letor en èſta
Obra, tanto es mayor el guſto de leerla, ſiendo el Tercero, i Quarto Libro mucho mejores que el Primero, i Segundo. Los conti-
nuos Trabajos llevados en paciencia, acaban
en deſcanſo, ſin maquina alguna : porque un
hombre como Cervantes ſeria milagro que
acabaſſe con algun milagro, para manifeſtar
la felicidad de ſu raro ingenio. En las Deſ-
cripciones excediò a Heliodoro. Las deſte
ſuelen ſer ſobrado frequentes, i mui pompo-
ſas Las de Cervantes a ſu tiempo, i mui naturales. Aventajòle tambien en el eſtilo; porque aunque el de Heliodoro es elegantiſſi-
mo, es algo afectado, demaſiadamente figurado, i mas Poetico de lo que permite la
Proſa. Defeto en que cayò tambien el diſcreto Fenelòn. Pero el de Cervantes es propio,
proporcionadamente ſublime, modeſtamen-
te figurado, i templadamente Poetico en tal
qual Deſcripcion. En ſuma èſta Obra es de
mayor invencion, i artificio, i de eſtilo mas
ſublime que la de DON QUIJOTE DE LA
MANCHA. Pero no ha tenido igual acetacion : porque la invencion de la HISTORIA
DE

DE DON QUIJOTE es mas popular, i contiene Personas mas graciosas; i como son menos en numero, el Letor retiene mejor la memoria de las costumbres, hechos, i caracteres de cada una. Fuera de esso el estilo es mas natural, i tanto mas descansado, quanto menos sublime. Sepan pues los que escriven, que poner termino a la invencion, i levantar la mano de la Obra, si es a su tiempo, es la ultima diligencia, i mano. I esto mismo me amonesta de que ya es hora de que Yo no moleste mas a mi Letor, a quien suplico me perdone muchas impertinencias que aquí ha leido; pues mi fin solo ha sido obedecer a quien devia el obsequio de recoger algunos Apuntamientos, para que otro los ordene, i escriva con la felicidad de estilo que merece el Sugeto de que tratan. Entretanto Yo daré ahora una fidelissima Copia del mismo Original, procurando acabar con aquellas mismas palabras con que Miguèl de Cervantes Saavedra diò principio al PROLOGO de sus NOVELAS.

183 ,, Quisiera Yo, si fuera possible (Le-
,, tor amantissimo) escusarme de escrivir
,, este PROLOGO; porque no me fuè tan
,, bien con el que puse en mi DON QUIJO-
,, TE, que quedasse con gana de segundar
,, con

,, con èste. Desto tiene la culpa algun Ami-
,, go (f) de los muchos, que en el discurso
,, de mi vida he grangeado, antes con mi
,, condicion, que con mi ingenio : el qual
,, Amigo bien pudiera, como es uso, i cos-
,, tumbre, gravarme, i esculpirme en la pri-
,, mera hoja de este Libro; pues le diera mi
,, retrato el famoso Don Juan de Jáuregui, i
,, con èsto quedàra mi ambicion satisfecha, i
,, el deseo de algunos, que querrìan saver,
,, què rostro, i talle tiene quien se atreve a
,, salir con tantas invenciones en la Plaza del
,, Mundo a los ojos de las gentes, poniendo
,, debajo del retrato : Este que veis aqui de
,, rostro aguileño, de cabello castaño, frente
,, lisa, i desembarazada, de alegres ojos, i
,, de nariz corba, aunque bien proporciona-
,, da : las barbas de plata, que no ha veinte
,, años que fueron de oro, los vigotes gran-
,, des, la boca pequeña, los dientes, ni me-
,, nudos, ni crecidos, porque no tiene sino
,, seis, i essos mal acondicionados, i peor
,, puestos, porque no tienen correspondencia
,, los unos con los otros: el cuerpo entre dos
,, estremos, ni grande, ni pequeño : la color
,, viva, antes blanca que morena, algo car-
,,   ga-

(f) *Habla del Amigo incognito, que dijo ser su*
Consegero en el Prologo Primero de D. Quijo: e.

,, gado de espaldas , i no mui ligero de pies:
,, Este digo que es el rostro del Autor de LA
,, GALATEA , i de DON QUIJOTE DE
,, LA MANCHA , i del que hizo el VIAGE
,, DEL PARNASO , a imitacion del de Ce-
,, sar Caporal Perusino , i otras Obras , que
,, andan por ahi descarriadas , i quizà sin el
,, nombre de su Dueño. Llamase comunmen-
,, te MIGUEL DE CERVANTES SAAVE-
,, DRA. Fuè Soldado muchos años , i cinco
,, i medio Cautivo, donde aprendiò a tener
,, paciencia en las adversidades. Perdiò en la
,, Batalla Naval de Lepanto la mano izquier-
,, da de un arcabuzazo : herida , que aunque
,, parece fea , èl la tiene por hermosa , por
,, averla cobrado en la mas memorable , i
,, alta ocasion que vieron los passados siglos,
,, ni esperan vèr los venideros , militando
,, debajo de las vencedoras vanderas del
,, Hijo del Rayo de la Guerra Carlos
,, V. de felice memoria.

F I N.

Con Licencia , en Madrid à
costa de Don Pedro Joseph Alonso y Padilla , Librero de Camara
del Rey nuestro Señor , se hallarà
en su Imprenta , y Libreria , Calle
de Santo Thomàs junto al Contraste, año de 1750.

ACABÓSE DE IMPRIMIR ESTA EDI-
CIÓN FACSÍMIL DE *LA VIDA DE
MIGUEL DE CERVANTES SAAVE-
DRA*, EN LOS TALLERES DE GRÁFI-
CAS ANDRÉS MARTÍN, EN VALLA-
DOLID, EL 15 DE ABRIL DE 2005